AF569400

Fiona Coors

Mit Stefan Rieß

Darf ich vorstellen: Legasthenie

Die Rolle meines Lebens

Mit Liebe zum Detail und für die Umwelt

Die Übernahme von sozialer und nachhaltiger Verantwortung ist in unserem Denken und Handeln fest verankert. Daher achten wir bei der Auswahl unserer Inhalte auf Kompetenz, Relevanz, Professionalität und Qualität. So können wir mit Herz und Seele hinter unseren Büchern, Hörbüchern und Online-Angeboten stehen, die wir mit viel Liebe und Achtsamkeit bis ins letzte Detail fertigen.
Außerdem leisten wir einen aktiven Beitrag zum Umweltschutz und verbrauchen nur wirklich notwendige Ressourcen. Wir drucken überwiegend auf 100 % Recyclingpapier und produzieren unsere Titel klimaneutral. Über 90 % unserer Fertigung findet in Deutschland statt, so haben wir kurze Transportwege und unterstützen die lokale Wirtschaft.

Inspirationen, interessante und wertvolle Neuigkeiten, Wahres, Schönes & Gutes können Sie regelmäßig in unserem Newsletter erfahren oder auf unseren Social Media Accounts:
Hier kommen Sie zu unserer Newsletteranmeldung:
www.kamphausen.media/ueber-uns/newsletter
Hier können Sie uns auf Facebook folgen:
www.facebook.com/weltinnenraum
Hier finden Sie uns auf Instagram:
www.instagram.com/kamphausen.media

Ihr Kamphausen Media-Team

FIONA COORS

Mit

Stefan Rieß

Darf ich vorstellen: Legasthenie

Wie hat dir das Buch gefallen?
Teile gerne deine Meinung mit uns!

https://www.kamphausen.media/
darf-ich-vorstellen-legasthenie/t-9783958835917

info@kamphausen.media, www.kamphausen.media
Lektorat: Nicole Mahne
Gesamtgestaltung und Satz: Tina Agard Grafik und Buchdesign,
Esslingen am Neckar, www.tina-agard.de
Coverfoto: © Mirjam Knickriem
Fotos im Buch: © privat
Typo-Grafiken: © iStockphoto: Andrei Kisliak
Druck & Verarbeitung: Beltz Grafische Betriebe, Bad Langensalza
ISBN Print: 978-3-95883-591-7
ISBN eBook: 978-3-95883-592-4

1. Auflage 2022
Bibliografische Information der Deutschen Nationalbibliothek:
Die Deutsche Nationalbibliothek verzeichnet diese Publikation in der Deutschen Nationalbibliografie; detaillierte bibliografische Daten sind im Internet über http://dnb.de abrufbar.

INHALT

Prolog 7

TEIL 1: BIOGRAFISCHES 11

MÄDCHEN IN BREDOUILLE 11

Das fehlende Echo 12

Englische Fee, Berliner Schnauze 19

Schwanensee 24

Märchen von A bis Z 26

Platzwunden 30

Showtime 35

LEGAS-TEENIE 39

Liebe und andere Peinlichkeiten 40

Donald Duck 42

Mutterseelenallein 46

Girls just want to have fun 50

Sprung ins kalte Wasser 58

REIFEPRÜFUNG 65

Nesthäkchen 66

Jobben 71

Schattenseiten 75

Schock 79

ABSCHIED UND AUFBLÜHEN 83

Mother Ocean 84

Bedingungslos 89

Igor und die Kartoffelgruppe 92

Begräbnis reloaded 96

Bonuspaket 102

ALLES SUTSCHE, ODER WAS? 109

Klein-Esalen 110

Erfüllung mit Hindernissen 114

Ambrosische Stunden 126

Am Set 135

Himalaya 148

TEIL 2: PRAKTISCHES 165
DIE TOOLBOX 165
Vorwort 166
Just do it 166
Body Emo Mind – BEM 171
Natur – der Tempel 173
Zuhören 174
Wertschätzung 177
Catch a breath 179
Freundlichkeit 184
Lady Tea 185
Let's go crazy 188
Lampenfieber 190
Panther-Modus 192
Bauchgefühl 195
Der Radar 198
Blindwalks 200
Augenblicke 202
Lauschen 204
Orange 205
Extended heart 207
Schnupper dich durch 209
Einmal im Jahr 211
Bühne ist überall 213
Sweat 216
Fifteen minutes a day 219
Geht auch ohne 222
Nagelbrett 225
Die Eiskönigin 226
Milch & Honig 230

Danksagung *235*
Sammelsurium *237*
Diagnostisches *238*

PROLOG

Vor drei Jahren – ich war zur Berlinale in die Hauptstadt gereist – ging ich am Freitagabend durch die Straßen zu irgendeinem „glamourösen" Schauspieler:innen-Empfang. Es war Februar, ich fröstelte. Plötzlich fiel mein Blick durch ein Fenster im Parterre auf einen Flatscreen und ich sah mich dort selbst. Eigentlich sollte mich das nicht überraschen, ich war häufig im Fernsehen zu sehen. Trotzdem war ich für ein paar Momente verdutzt und hielt inne. Ich war gleichzeitig vor und hinter der Scheibe. Als Kommissarin war ich gerade dabei, einen Verdächtigen zu verhören, der versuchte, seinen Kopf aus der Schlinge zu ziehen.

Ich wurde neugierig, wer da wohl in seinem Wohnzimmer saß und „Der Staatsanwalt" im ZDF schaute. Ich fantasierte, wie es wohl wäre, einfach zu klingeln. Die mir bis dahin unbekannten Menschen würden öffnen und die Kommissarin, die im Wohnzimmer immer noch ermittelte, würde plötzlich in Abendgarderobe vor ihnen stehen. Ich hätte beim Späti nebenan kurz Bier und Chips besorgt, um nicht mit leeren Händen dazustehen. Ich malte mir aus, wie es wäre, wenn sie mich hereinbitten würden für einen gemeinsamen Fernsehabend. Der Empfang könnte warten. Wir würden uns kennenlernen, plaudern, miteinander lachen.

Die Kälte erinnerte mich daran, dass es an der Zeit war, meiner blühenden Fantasie nicht weiter nachzuhängen. Ich verabschiedete mich von meinem Fernsehselbst und machte mich wieder auf meinen Weg durch das nächtliche Berlin. Der kleine gedankliche Ausflug hinterließ ein gutes und warmes Gefühl in mir. Begegnungen waren mir in meinem Leben seit jeher das Wichtigste gewesen. Die Liebe für echten Kontakt war meinen Wegen stets ein Leitstern, schon immer war ich an den Geschichten von Menschen interessiert.

Meine Geschichte tritt in der Öffentlichkeit meist hinter meinen Rollen zurück. Ich werde gesehen als die toughe Kommissarin, auch mal als die verschlagene Kriminelle oder die aus einer „Katie Fforde"-Verfilmung.

Wenn ich von Leuten erkannt werde, irgendwo in der Öffentlichkeit, ist das meistens ein ziemlich normales Ereignis. So gut wie nie ist jemand aufdringlich oder gar übergriffig, sodass es mir unangenehm wäre. Vielleicht trage ich selbst auch zu dieser Normalität bei, indem ich mich schlicht wie Fiona verhalte. Für ein paar nette Worte, für einen kurzen Kontakt ist so gut wie immer Zeit. Jede Begegnung ist irgendwie interessant. Es passieren auch verrückte Sachen und das gar nicht mal so selten. Viele wissen im ersten Moment nicht, woher sie mich kennen. Dann kommen die absurdesten Fragen: „Entschuldigung, waren Ihre Kinder zufällig im Kindergarten in sowieso, Jahrgang soundso?" Es wird wild spekuliert, ob ich auf irgendeinem Werbeplakat mein schönstes Lächeln zeige oder sogar in der Politik bin. Häufig wittern Frauen in mir eine Mutter, die sie schon mal in der Schule ihrer Kids gesehen haben. Man kennt mein Gesicht, aber nicht immer gleich den Zusammenhang, die Schauspielerin hat nicht jeder sofort im Sinn. Irgendwie genieße ich das auch. Bis ich die Sache aufkläre, bin ich Fiona und jemand kennt mich. Mehr nicht. Wenn es dann klarer wird, dass sie mich im Fernsehen gesehen haben, wird der Kontakt häufig abrupt distanzierter. Ich kann es fast auf der Stirn lesen: „Oh, Entschuldigung, na dann ..." – ein offensichtliches Zurückweichen. Ich bin nicht mehr die andere Mutti oder die Politikerin. Ich bin nicht mehr regional. Plötzlich bin ich jemand öffentlich Bekanntes. Das Unmittelbare unserer Begegnung geht verloren. Häufig scheint es den Betreffenden leicht peinlich, als hätten sie sich in der Etage geirrt.

Manchmal können wir uns auf der falschen Etage treffen. Die Peinlichkeit verpufft und am Ende sprechen wir über die Bananen, die wir gerade kaufen, bio oder nicht bio, Fair Trade oder nicht. Es entspannt mich, wenn sich die Vorstellungen, die andere von mir haben, relativieren und eine ganz natürliche Begegnung übrigbleibt.

Ich war doch etwas zu spät für den Empfang. In meiner Kindheit war das Zuspätkommen eine traurige, unbewusste Bewältigungsstrategie von mir, doch mittlerweile war ich zu einem pünktlichen Menschen geworden. Anscheinend war es noch kälter geworden. Berlin war um diese Jahreszeit ein ungemütliches Pflaster, aber vielleicht lag es auch an meinem zu dünnen Kleid.

Mit der jetzigen Hauptstadt verbinde ich viele schöne Kindheitserinnerungen, die mir jetzt wieder in den Sinn kamen und auf die ich gerne meine Aufmerksamkeit richtete. Schon als Kind war es wichtig, Unangenehmes auszublenden und mich auf die schönen Aspekte des Lebens zu konzentrieren. Und die eisige Luft, der ich gerade ausgesetzt war, war definitiv unangenehm. Also besser Zuflucht finden in alten Zeiten. Meine Großeltern lebten hier in Berlin und ich habe in meinen Schulferien viel Zeit bei ihnen verbracht. Mein geliebter Opa und meine geliebte Oma, von der ich so viel Unterstützung erfuhr. Auf das Gute auszuweichen, das hatte ich perfektioniert. Im Hintergrund lauerte immer ein unheilvoller Druck. Ich bin Legasthenikerin und meine Schulzeit war alles andere als ein Zuckerschlecken. Ich hatte große Schwierigkeiten, mit Buchstaben, Wörtern und inhaltlichen Zusammenhängen umzugehen, also die Schwierigkeit, lesen und schreiben zu lernen. In meiner gesamten Schulzeit blieb ich ohne Unterstützung, nie wurde ich als Legasthenikerin erkannt. Ich war mit meinen Beeinträchtigungen auf mich selbst gestellt und musste mich alleine durchschlagen.

Es gibt viele Kinder, die wegen ihrer legasthenischen Schwächen stigmatisiert werden, doch schon mangelnde Unterstützung kann weitreichende Folgen für die Persönlichkeitsentwicklung haben. Ein mangelnder Selbstwert, der sich tief in der Seele verankert, die kontinuierliche Angst, Fehler zu machen, als Versager entlarvt zu werden. Mannigfaltige Stresssituationen, die wiederum generelle körperliche Symptome auslösen wie Erröten, Schwitzen oder Herzrasen. Ein Teufelskreis. Durch die Beeinträchtigung sind Kinder häufiger schwierigen Situationen ausgesetzt, welche die oben genannten Symptome hervorrufen, die wiederum noch mehr Stress verursachen. Um all das zumindest einigermaßen in Schach zu halten, etablieren sich unterschiedlichste Verhaltensmuster. Beispielsweise immer so zu tun, als sei man perfekt, oder der Versuch, sich so unsichtbar wie möglich zu machen, oder oder oder ...

Ich bin Legasthenikerin. Circa fünf Prozent aller Kinder in Deutschland sind Legastheniker:innen. Folglich sind circa fünf Prozent aller Menschen in Deutschland Legastheniker:innen. Vielleicht ist die Dunkelziffer noch viel höher, als man glaubt. Viele von ihnen sind unerkannt, wie auch ich es lange Zeit war.

TEIL 1
BIOGRAFISCHES

Mädchen in Bredouille

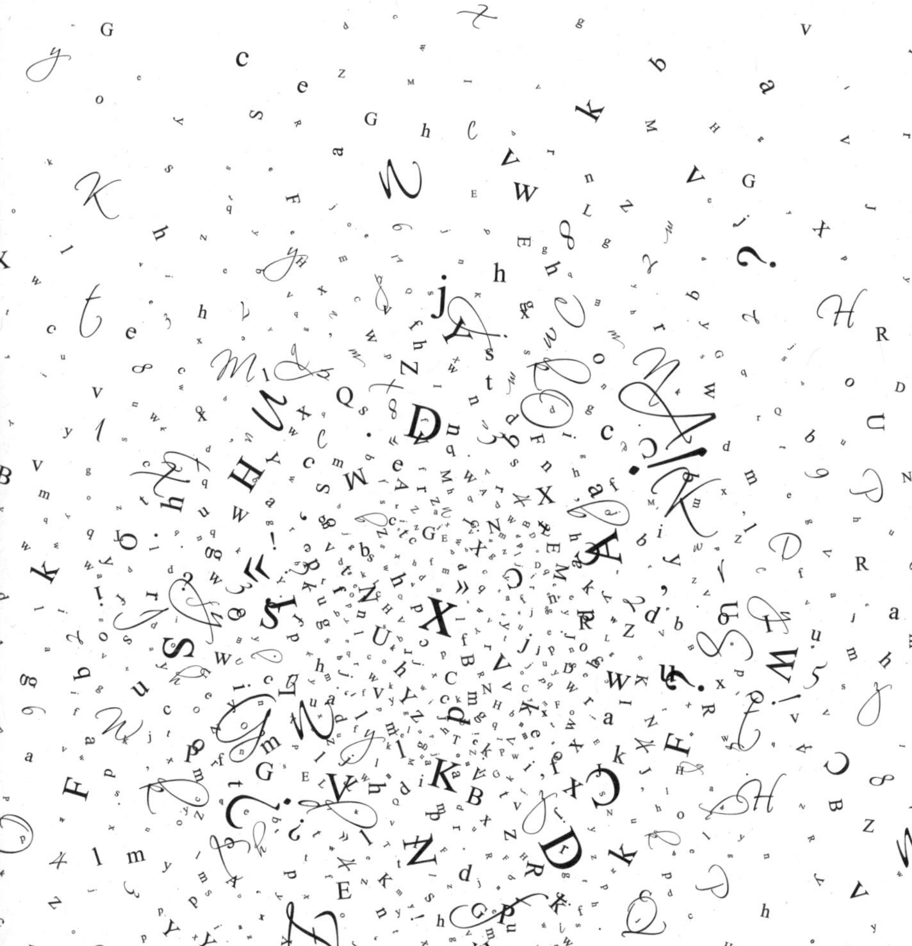

DAS FEHLENDE ECHO

Lange Zeit, bevor ich über mein Handicap Bescheid wusste, habe ich die eine oder andere Auffälligkeit gerne darauf geschoben, zweisprachig aufgewachsen zu sein. Und mit „lange Zeit" ist eine wirklich sehr lange Zeit gemeint. Erst mit Anfang 30 hat sich mir langsam erschlossen, dass ich Legasthenikerin bin. Der Umstand des späten Erkennens umfasst die ganze Tragik meiner legasthenischen Geschichte. Während meines Heranwachsens gab es keinen einzigen Menschen, dem meine durchaus offensichtlichen Schwierigkeiten aufgefallen wären, der meine Fehler ernst genommen hätte, um zu ergründen, womit ich zu kämpfen hatte. Es gab keine Hand, die sich mir entgegengestreckt hätte, um meine Probleme einzusortieren. So habe ich mir Erklärungen zusammengereimt. Mein Vater sprach mit mir deutsch, meine Mutter englisch. Ich nahm an, ich hätte ein Problem mit meiner Bilingualität. Ich träumte beispielsweise auf Englisch, dachte aber auf Deutsch. Es kursierten eine Menge „denglischer" Vokabeln in meinem Kopf. Heute weiß ich, dass meine Mühen, mich in der Buchstabenwelt zurechtzufinden, nicht darauf zurückzuführen waren. Natürlich war ich in beiden Sprachen legasthenisch und meine Orientierungsprobleme beim Lesen und Schreiben hingen nicht mit meinem zweisprachigen Aufwachsen zusammen. Während meiner Schulzeit gab es noch kein Bewusstsein für Legasthenie, zumindest nicht in der alternativen Schule, die ich besuchte. Meine Schwierigkeiten im Umgang mit Wörtern und Buchstaben wurden nicht erkannt. Niemand wusste, dass Buchstaben bei mir zu fliegen begannen, sie immer wieder die

Plätze in den Wörtern tauschten, plötzlich auftauchten und auch wieder verschwanden.

Meine „vorlegasthenischen" Jahre im Kindergarten waren frei und unbelastet gewesen, ich wurde noch nicht am Abgrund der Schrift alleingelassen. Wir haben unglaublich viel gebastelt. Ich mochte das. Wenn ich im Kindergarten zwischen den anderen Kindern saß und wir Tiere aus bunten Pappen zusammenklebten, war ich innerlich erfüllt von Freude. Das Entstehen der Kreaturen war für mich so, als würde ich am Lebendigwerden teilnehmen. Ich klebte den Löwen zusammen und gleichzeitig wurde er vor meinen Augen zum Leben erweckt. Es brauchte nie viel, um meine Fantasie anzukurbeln. Andererseits brauchte es viel, um meine Fantasie wieder anzuhalten. Ich fand meist kein Ende. Ich wollte den ganzen Zoo, die ganze Arche Noah, da waren keine Grenzen und keine Müdigkeit. Ich war ein lebendiges und vor Kreativität übersprudelndes Kindergartenkind, pur, ungebremst, noch unreif natürlich in dieser gewaltigen Lebensspur. Ich hatte im Kontakt mit dieser Kraft eine enorme Geschwindigkeit, war eine ausdauernde Sprinterin schöpferischen Ausdrucks. Die Ära der Papptiere war eine bunte und unbegrenzte Zeit, ganz im Gegensatz zu meiner Schulzeit, die mich ohne Unterstützung mit öden Buchstabenbergen konfrontierte, die so ermüdend und abstrakt sein konnten.

Ausgerechnet zu Beginn der ersten Klasse trennten sich meine Eltern. Mein geliebter Vater verließ die gemeinsame Wohnung. Er, der erste Mensch, der mir in adäquater Weise ein Gegenüber war. Er hat mit mir Kasperletheater gespielt, jede Figur erhielt ihre eigene Stimme. Wir tobten Schreie ausstoßend durch die Wohnung. Gemeinsam haben wir Höhlen gebaut und zu lauter Musik getanzt. Mit anderen Worten, er war genauso quirlig und kreativ wie ich. Mit ihm zusammen war meine Welt in Ordnung. Wenn sein Beruf ihn nicht außer Haus zwang, war er außerdem ein Bindeglied zu meiner stilleren Mutter. Er hat es meiner Mutter leicht gemacht, mit meiner Lebendigkeit Schritt zu halten. Die Trennung meiner Eltern war eine Katastrophe. Sie waren nicht mehr in der Lage, miteinander zu kommunizieren. Zwischen ihnen herrschte eine fast schon gespenstische und eisige Stille. Vor allem meine Mutter in ihrer Enttäuschung und unterdrückten Wut verweigerte jeden Kontakt. Mein Vater prallte an diesen Mauern ab und strich zu schnell die Segel. Ich war diejenige, die darunter am meisten litt, denn der kalte Krieg führte dazu, dass ich meinen Vater wesentlich weniger zu sehen bekam und meine Mutter kaum mehr Zeit für mich hatte.

Eigentlich hatte es mit meinen Eltern romantisch begonnen. Hochschwanger stand meine Mutter im Frühling 1972 auf einer Leiter in der Altstadt von Hameln und ließ ihrer künstlerischen Begabung freien Lauf. „Sunshine Music" schrieb und malte sie im schönsten Hippie Style über den Schallplattenladen, den sie bald gemeinsam eröffnen wollten. Meine beiden Blumenkinder-Eltern. Sie waren alternativ, aber nicht extrem. In jedem Fall wurde ich hineingeboren in ein Heim voller guter und progressiver Musik. Der Laden war ein Magnet für die junge Szene in Hameln. Mein Vater war regelmäßig in London und brachte von dort die angesagtesten Poster auf den Kontinent – also nach Hameln. Die Poster von Rockgrößen der 60s und 70s – Jimi Hendrix, die Stones, Led

Zeppelin, Beatles – verkauften sich wie geschnitten Brot. Das deckte die Kosten des Ladens allerdings bei Weitem nicht. Doch meine Eltern hatten ihre Freude daran, eine gute Platte nach der anderen für ihre Kundschaft aufzulegen, die vor allem kam, um Tee zu trinken, den sie kochten und großzügig ausschenkten. Es war mehr ein Happening als eine Goldgrube. Ein Jahr später ging die Sonne leider schon wieder unter. Für meinen Vater war das eine existenzielle Situation. Seine gesamten Ersparnisse steckten in „Sunshine Music". Doch der Laden war Geschichte. Er war nach wie vor Besitzer aberhunderter Langspielplatten. Um die Familie zu ernähren, ist er in den Monaten danach als Schallplattenvertreter durch die Lande gezogen. Zu seinem Glück und dem unserer kleinen Familie kam seine Schauspielkarriere allmählich wieder mehr in Schwung. Seit seiner Kindheit stand er vor der Kamera.

Mein Vater ist ein grundsätzlich verspielter Mensch, offen und kontaktfreudig und wie ich temperamentvoll. Meine wilde und ungestüm kreative Seite konnte hier bestens andocken. Es war wunderbar für mich, mit ihm zu toben, er war einer meiner frühesten und größten Fans, hat meine selbst ausgedachten Theaterstücke mit einer überdimensional großen Videokamera aufgenommen. So wie er Höhlen für uns beide baute, tat er das auch für mich und übernachtende Freundinnen. Ein Traum für mich als Kind. Er war immer für Verrücktheiten zu haben und hat sich dafür richtig ins Zeug gelegt. Dabei ist er kein Rabauke. Er ist auch ein sehr feiner Mensch, ein stiller Denker. In unseren ruhigen gemeinsamen Momenten konnte ich mich an ihn kuscheln und er hat mir vorgelesen.

Die Trennung meiner Eltern war eine tiefe Erschütterung und hat mich mehr geprägt, als ich mir lange Zeit selbst eingestanden habe. Eine seelische Belastung, die bis in mein erwachsenes Leben hineinreichte, auch wenn ich das nicht immer bewusst gespürt habe. Es lag nicht an der Oberfläche meines Alltags, aber ein unbewusster Schmerz von damals war noch lange in meine Seele eingebrannt, wie man es von Traumata kennt. Mein damaliges Leid habe ich mit der Zeit verarbeitet und es hat seinen Platz in der Vergangenheit meines Lebens. Doch damals war es ein Schock, als mein Vater bei uns auszog. Ich war gerade sieben Jahre alt und begriff erst mal gar nicht, was das bedeutete. Ich werde nie vergessen, wie ich eines Nachts aus dem Schlaf gerissen wurde, weil meine Eltern sich laut anschrien. Starr vor Schreck lag ich im Bett. Dann trat Stille ein. Ich wagte mich verschlafen in den Flur unserer Altbauwohnung und stand mit nackten Füßen mitten im Chaos. Der lange Gang war übersät von Jacken, Taschen und Schuhen. Linker Hand am Ende des Ganges im Wohnzimmer saß meine Mutter heftig weinend auf dem Sofa, so hatte ich sie noch nie erlebt. Rechter Hand am anderen Ende des Ganges im Schlafzimmer hockte mein Vater und hielt den Kopf in seinen Händen. Tapsig und scheu lief ich, über die Kleidungsstücke stolpernd, zuerst in Richtung Wohnzimmer. Unsicher blieb ich in der Tür stehen, sah meine Mutter an, doch sie winkte ab. Ich stolperte den Gang zurück, diesmal in Richtung Schlafzimmer. Unsicher stand ich in der nächsten Tür. Mein Vater hob den Kopf und öffnete sofort seine Arme: „Ach Fiona, komm mal her." Ich lief in seine Arme, an mehr kann ich mich nicht erinnern.

Es war der Anfang vom Ende. Meinen Vater hatte ich damals als die passende Antwort auf mich erlebt, als Förderer meines Wesens und meiner kreativen Kräfte, aber er verließ das gemeinsame Heim. Plötzlich war er nicht mehr da, nicht als lebendiges Gegenüber und auch nicht als Unterstützung in meinem beginnenden Schulalltag. Seine Abwesenheit ließ einen Teil in mir mit der Zeit verkümmern. Er wurde zum fehlenden Echo meiner Kindheit.

In diesen schrecklichen Monaten wurde ich eingeschult, ich habe daran kaum Erinnerungen. Die Lethargie hatte mich in dieser Zeit ziemlich im Griff. Ich fühlte mich oft wackelig, meine mir eigene Freude und Lebendigkeit waren für etliche Wochen verstummt. Es war ein gewaltiger Einschnitt in meinem Leben. Die wilden Zirkusspiele waren erst mal vorbei. Behutsam kümmerte ich mich um meine zwei kleinen Kanarienvögel, doch ich träumte nicht mehr vom Fliegen. Mein Vater, der mich, wenn er nach Hause gekommen war, stets hochgehoben und wild in die Luft geworfen hatte, sodass ich kreischte vor Vergnügen, war nicht mehr da.

Zumindest teilweise begann meine Lebensfreude nach einigen Monaten Schritt für Schritt wieder aufzuflammen und meine kreative Kraft war ohnehin nicht unterzukriegen. Aber für eine lange Zeit ging mir meine Unbekümmertheit verloren, eine Freude, die wie ein wildes Pferd frei und ungebunden über die Weiten der Prärie galoppieren konnte.

In der Obhut meiner Mutter bekam ich dafür keine Unterstützung. Ohne meinen Vater war meine Mutter von meiner Lebendigkeit häufiger genervt. „You are like your father. Stop it, it's enough. Calm down." Wenn ich dann enttäuscht und frustriert war, kam ein „Stop pouting!“ Pouting – das heißt schmollen. Ich war ihr also zu viel geworden. Meine Lebendigkeit war der meines Vaters zu ähnlich und sie wollte nicht an ihn erinnert werden. Einzig in den Ferien zu Besuch bei meinen Berliner Großeltern konnte das Feuer meiner Lebendigkeit frei brennen und lodern. Ihr Zuhause war eine wilde Oase für mich, mit Rollerskates und Faxen. Diese Zeiten waren leider immer viel zu kurz.

Heute weiß ich, wie enorm die innere Belastung für mich damals gewesen ist: die zunehmend hohe schulische Anstrengung und die Tatsache, dass ich meinen Vater vermisste, er nicht mehr Teil meines Alltags war, und meine Mutter zu wenig Zeit für mich hatte. Darüber hinaus hat weder mein Vater, der sich um meine schulischen Belange nicht kümmerte, noch meine Mutter, die meine täglichen Schwierigkeiten eigentlich hätte erkennen können, jemals meine Probleme mit Lesen und Schreiben gesehen oder ernst genommen. Beide haben den Stress, unter dem ich stand, nie wahrgenommen. Meine Mutter war zu überlastet und zu sehr mit ihrem eigenen Leid beschäftigt, und mein Vater hat sich mit mir zusammen liebend gerne auf die schöne Seite des Lebens geschlagen. Er hat sich wohl von meiner freudvollen und kreativen Seite blenden lassen.

Eigentlich war ich häufig überfordert mit meinen Gefühlen, meinen Ängsten, meinen Schwächen, mit meinen Hausaufgaben, mit meinem Alleinsein.

ENGLISCHE FEE, BERLINER SCHNAUZE

Das Frausein ist in meinem Leben von Beginn an eine zentrale Angelegenheit, nicht nur biologisch. Die großen weiblichen Figuren, die mich prägten, waren meine Mutter und meine Oma väterlicherseits. In ihnen nahm ich die ersten wesentlichen femininen Qualitäten wahr, die mich tief inspirierten: die romantisch-sensible, fast mystische Ausstrahlung meiner Mutter, die als Engländerin unser Heim in ein kleines britisches Zuhause verwandelt hatte. Und das typisch berlinerisch-lebensfrohe Naturell meiner Oma, die mich in zuverlässigen mütterlichen Armen hielt.

Meine Mutter war eine eher unnahbare Frau. Doch ging von ihr auch etwas Sinnlich-Geheimnisvolles aus, mit ihren rotgelockten Haaren und den Sommersprossen, die ihr Gesicht zierten. Für mich als Kind, zumal als Mädchen, war das anziehend. Immer konnte ich in ihr eine für mich ausgesprochen spannende, sensible innere Welt fühlen, die mir jedoch meist verschlossen blieb und mich daher unbefriedigt zurückließ. Nur selten öffnete sich ihr Inneres und gab ihre zarte Feinheit frei. Für mich waren diese Momente von seltener Kostbarkeit, endlich konnte sich meine ebenfalls vorhandene zarte und sensible Wesensseite in ihr spiegeln. Dies waren außerordentliche Augenblicke von tiefer Entspannung und innigem Kontakt.

Meine Mutter war eine schöne Frau und ich bewunderte sie für diese Schönheit. In meinem Empfinden schien sie immer wie von Engeln umgeben. Wenn wir Ausflüge unternahmen und in der Natur waren, erlebte ich sie stets als behutsame Beobachterin: „Look, there is a little place for the fairies …" Sie machte mich in ihrer leisen Art aufmerksam auf kleine und kleinste Details, und so wurde ich sensibilisiert für die Großartigkeit der Schöpfung: grazil schaukelnde Moosblüten, schillernde Käferchen, betörendes Vogelzwitschern, das plätschernde Plaudern eines Bachs, alles war ihr wie ein göttliches Geschenk, auch wenn sie es so nicht nannte, und das fand Anklang in mir. Ihre herrliche englische Stimme lenkte meine Sinne auf das Lebendige und mein Herz zu einer verzauberten Empfindung. Wenn ich mich heute daran erinnere und ihre sensible Feinheit fühle, die damals meine blühende Fantasie inspirierte, tauchen in mir Bilder aus Geschichten wie „Die Nebel von Avalon" auf. Meine Mutter hätte gut als weise Frau und naturverbundene geweihte Priesterin in diesen fantastischen Roman gepasst. Auch wenn ich diesen Wesenszug als Mädchen noch nicht so genau benennen konnte, hat er mich seelisch berührt, ungeachtet meiner größtenteils unerfüllt gebliebenen Sehnsucht nach mütterlicher Geborgenheit. Außer in den oben erwähnten kostbaren Momenten war unsere Beziehung von einer gewissen emotionalen Distanz geprägt. Auch körperlicher Kontakt war ihr immer unangenehm. So gerne hätte ich mehr mit ihren wunderbaren Haaren gespielt, mich an sie gekuschelt.

Diese unmittelbare Wärme habe ich bei ihr immer vermisst. Gleichwohl war unser Zuhause nicht kühl, denn sie hatte ein besonderes Händchen, ein warmes und kuscheliges Heim zu kreieren, und in der Regel hat sie gut und zuverlässig für mich gesorgt. Meinem Aufwachsen eine beständige Form zu geben war ihr ein zentraler Wert, für den sie bereit war, mehr zu investieren, als eigentlich gesund für sie war. Nach der Trennung von meinem Vater bewältigte sie streckenweise sogar mehrere Jobs parallel. Die waren nicht immer gut bezahlt, aber meine Mutter kämpfte darum, unseren Lebensstandard zu erhalten, und die Unterhaltszahlungen waren dafür bei Weitem nicht ausreichend. Unsere großzügige Altbauwohnung in Hamburg-Winterhude wollte sie partout nicht aufgeben. Ihr war es wichtig, unser heimeliges Nest zu erhalten, das wir schon seit Jahren bewohnten. Ich glaube, dass es ihrer Seele gutgetan hat. Vielleicht wollte sie sich aber auch nur etwas beweisen. Der Gedanke, sozial abzusteigen, in einen sozialen Brennpunkt umziehen zu müssen, war ihr ganz sicher ein Horror. Unbedingt wollte sie mir meinen Ballettunterricht weiter ermöglichen, kleinere Urlaube machen, dann und wann auf Ibiza, nach England in ihre Heimat reisen, zu ihrer Familie.

So hat sie zwar wie eine Löwenmutter um die Äußerlichkeiten gerungen, doch für mich blieb wenig Zeit. Die wenigen gemeinsamen Stunden sog ich entsprechend in mich auf. In diesen Momenten genoss ich – ich kann es nicht besser sagen – die fantastische Aura meiner Mutter. Heute glaube ich, dass sie eine ausgeprägte spirituelle Ader hatte, die ihr selbst wahrscheinlich ganz und gar unbewusst war. Darin bestand wohl auch ein Teil der Anziehung zwischen ihr und meinem Vater, der sich im Gegensatz zu ihrer versteckteren Art ganz offen mit Spiritualität auseinandersetzte. Ich selbst bin ihrer weiblichen, intuitiven und vor allem zutiefst sinnlichen Spur in meinem Leben sehr dankbar, sie legte einen Grundstein für meine eigene spirituelle Entwicklung. Außerdem war sie, wenn die Zeit es erlaubte, ein Anlaufpunkt für meine kreativen und fantastischen Ideen und Einfälle. An ihre Grenzen kam sie mit meiner mir eigenen ungestümen Lebendigkeit.

Dafür hatte ich meine Berliner Oma. Ich übertreibe nicht, wenn ich sage, dass meine Oma so ziemlich der Gegenentwurf zu meiner Mutter war. Bodenständig in einem sehr geerdeten Sinne, dazu laut, direkt und ehrlich. Sie war ein sicherer Hafen für meine eigene, manchmal geradezu übersprudelnde Lebendigkeit und für meine ausgeprägte Emotionalität. Immer war sie interessiert, egal, wie intensiv meine Gefühle in Wallung waren. „Na meene Kleene, wat los?", hat sie dann gesagt, sich zu mir gesetzt und zugehört. Wenn notwendig, hat sie mich in die Arme genommen. Hier konnte ich die Geborgenheit erleben, die ich bei meiner Mutter immer schmerzlich vermisste. Mit ihr zusammen habe ich das Fahrradfahren, Schlittschuhlaufen und auch Schwimmen gelernt. Hierfür hat sie lange Fahrten durch Berlin in Kauf genommen. Denn zu meiner fröhlichen Expressivität gesellte sich ein zierliches und empfindsames, manchmal auch überaus empfindliches Wesen. Die Wassertemperatur normaler Schwimmbäder war für mich wie Eisbaden, ich schlotterte in kürzester Zeit vor Kälte, die Lippen blau und zitternd.

„Meene Kleene, dat wird ja nischt. Du brauchst warmes Wasser!" Gesagt, getan, und so saßen wir im Auto Richtung Therme, am Steuer mein Opa. Auch ihn liebte ich über alles. Er war als junger Mann im Krieg gewesen, Koch zwar, aber mit Sicherheit hatte er genug Gräuel miterlebt. Trotzdem hatte er sich, zusätzlich zu seinem Humor, eine liebevolle

Behutsamkeit in seinem Herzen bewahren können. Er war der Einzige, von dem ich mir wirklich gerne die Haare waschen ließ. Meine Oma war dafür einfach zu ruppig. Unter ihren Händen lief immer wieder Shampoo in meine empfindlichen Augen. Ganz anders mein Opa, der, obwohl ein durchaus robuster Mann, meine Haare mit bemerkenswerter Zartheit und Engelsgeduld wusch, wie sonst keiner in der mir damals bekannten Welt. Es fühlte sich für mich immer ein wenig so an, als hielte er nicht nur meine Haare, sondern auch meine Seele sanft in seinen Händen.

Doch zurück zu meiner Oma, die, wie gesagt, der Gegenentwurf zu meiner Mutter war. So sehr sie mich unterstützte, konnte es gelegentlich passieren, dass sie, wie beim Haarewaschen, die ebenfalls in mir vorhandene zarte Seite übersah. Ich erinnere mich an einen Besuch im Zoo. Eines der absoluten Highlights war die Robbenfütterung. Die Traube der Kinder samt Eltern oder Großeltern, die diesem besonderen Ereignis beiwohnte, war immer groß. Der Tierpfleger verteilte Fische, die man selbst zu den Robben werfen konnte. Das war eine einmalige Attraktion. Zumindest für meine Oma, die sich ihren Weg, mit mir im Schlepptau, in die erste Reihe bahnte, um einen Fisch zu ergattern. Sie war dabei nicht egoistisch im engeren Sinne, eher ihre vehemente Art ist mit ihr durchgegangen. In jedem Fall hatte ich plötzlich einen kalten toten, etwas glitschigen Fisch in der Hand. Was sollte ich nun damit anfangen? „Na – nun wirf, meene Kleene!"

Auf der anderen Seite hat sie mir immer viel zugetraut. Mit fünf Jahren konnte ich selbstständig den Gasherd anmachen, natürlich unter ihrer liebevollen Obhut, und meinen

Kakao zubereiten. Dafür hatte ich meine Tasse. Sie hatte ein natürliches Verständnis für die kleinen Rituale, die für Kinder so gut und wichtig sind. Mit ihr zusammen habe ich meine ersten Schritte als Köchin gemacht. Liebe geht bekanntlich durch den Magen. Ihre Graupensuppe koche ich noch heute.

SCHWANENSEE

Als ich fünf Jahre alt war, brachte meine Mutter mich zum Ballettunterricht in die Stage School in Hamburg. Ich hatte den richtigen zarten Körper, die perfekten Füße und ein gutes Rhythmusgefühl. In den Anfangsjahren war der Ballettunterricht sehr spielerisch, später wurde es zunehmend strenger. Es ging viel um Körperhaltung, Posen und dergleichen. Meine Tanzlehrerin bescheinigte mir jede Menge Talent. Ich liebte alles am Ballett, die Tutus, das Rosa, die anmutigen und gleichzeitig bis in die Fingerspitzen exakten Körperhaltungen und Bewegungsabläufe, meine Ballettschule und vor allem die Musik. Über Jahre hinweg habe ich zu Hause regelmäßig den Nussknacker und den Schwanensee gehört. Dabei bin ich Pirouetten drehend durch mein Zimmer getanzt und stellte mir währenddessen die Tänzerinnen und die Prima Ballerina vor. Mit zwölf durfte ich endlich in echten Spitzenschuhen tanzen. So lange hatte ich darauf gewartet. An der Stange und vor allem auf den Spitzen war ich super, ich hatte Kraft in den Füßen und den Beinen. Doch zu meinem Leidwesen begannen dunkle Wolken am Horizont zu erscheinen. Allmählich wurden die Choreografien immer anspruchsvoller und komplexer, der Anfang eines schmerzlichen Dramas. In Windeseile sollte mir mein über alles geliebtes Ballett durch die Finger rieseln. Menschen mit Legasthenie haben oftmals Schwierigkeiten, serielle Abläufe zu wiederholen. Das legasthenische Gehirn kann in verschiedenen Teilleistungsbereichen Schwächen aufweisen, unter anderem dann, wenn es um die Verarbeitung räumlicher Wahrnehmung und die Orientierung im Raum geht, die sogenannte Raumorientierungsschwäche, die zu meinen erwähnten Schwierigkeiten mit Choreografien führte.

Ich stand in der Mitte der anderen Mädchen und bin in der Parallelität der Bewegungen schnell konfus geworden und herausgefallen. Es war so frustrierend für mich. Zu Hause hörte ich Tschaikowskis wunderbare Musik und improvisierte dazu, freie Bewegungsabläufe waren ein Leichtes für mich, doch die Choreografien wollten nicht klappen. Ich trainierte wie wild, weil ich es unbedingt schaffen wollte, aber trotzdem verlor ich mehr und mehr den Anschluss. Ich hielt mich für dumm und unfähig, die Selbstbewertungen, die unweigerlich entstehen, wenn solche Situationen alleine bewältigt werden müssen.

Als Kinder sind wir angewiesen auf die wohlwollende Unterstützung Erwachsener. So kann unser Selbstbewusstsein reifen und wir können uns als selbstwirksam erleben. In meiner abgeschiedenen Kammer der unerkannten Legasthenie wurde mir immer bewusster, dass ich den Schwanensee nie würde tanzen können.

Mit 13 habe ich meine große Liebe im wahrsten Sinne des Wortes an den Nagel hängen müssen. Meine Spitzenschuhe fanden ihren Platz an meiner Zimmerwand, zwischen all den Ballettpostern, neben meinen völlig durchgetanzten ersten Ballettschuhen. Ich konnte nicht mehr mithalten. Mir ging eine meiner größten Ressourcen verloren.

MÄRCHEN VON A BIS Z

Auf der Waldorfschule lernten wir das Alphabet mittels Märchenerzählen. Natürlich wirkten die Figuren und Handlungen unheimlich stark auf mich. Ich fühlte mich in erster Linie zu Aschenputtel hingezogen, dessen Schicksal von hässlichen Gemeinheiten besiegelt schien. Meine Fantasie und mein Herz ritten mit Aschenputtel zum Prinzen, deshalb war der Anfangsbuchstabe A für mich völlig zweitrangig. Sobald es um ein Schloss ging – und im Märchen geht es immer um ein Schloss! –, war ich im Nu in Kostüme gehüllt und von pompösen Requisiten umgeben, trug eine goldene Krone und saß vor dem offenen Kamin, einen Babyhausdrachen zu meinen Füßen. Das A war mir zwar nicht egal, aber es drang gar nicht erst bis zu mir durch vor lauter Kopfkino. Es war nicht die Menge an Bildern, die ich assoziierte, es gab eine andere Hürde, die mir beim Lesen im Weg stand.

Die meisten wissenschaftlichen Quellen sprechen davon, dass die Fixierung der Wörter ungleich länger dauert. Bis zu viermal mehr Zeit braucht ein Legastheniker:innen-Auge, um Buchstaben oder Wortteile zu erfassen. Es gelingt nicht, die Wortbilder in den Langzeitspeicher zu bringen, und so müssen die Wörter immer wieder neu erarbeitet werden. Das erklärt übrigens auch, warum Legastheniker:innen

Wörter unterschiedlich falsch schreiben, was Außenstehende wiederum nicht nachvollziehen können.

Unabhängig von einer Wortgedächtnisschwäche war es in meinem damaligen Erleben genau dieses Mehr an Zeit, das Lücken entstehen ließ, die sich unwillkürlich und viel zu schnell mit meinen Bildern füllten, sodass meine Aufmerksamkeit abgelenkt war und meine Konzentration auf den Text in sich zusammenfiel. Ich verlor den Anschluss.

Stell es dir vor wie im Museum: Eine Besuchergruppe folgt einer Führung durch die Ausstellungsräume und du hinkst immer ein bisschen hinterher. Weil jedes Bild schon in deiner Fantasie eine volle Geschichte erzählt, ohne alle Fakten – von wem, wann, Hintergründe, die dich nicht die Bohne interessieren. Die Verzögerung macht dir aber nur echte Sorgen, wenn du merkst, dass die Gruppe, in der du eben noch mittendrin standst, plötzlich weg ist. Dann wird es unangenehm, vielleicht spürst du einen kurzen Schreck, du musst losrennen und möglicherweise rollen die anderen mit den Augen, weil du schon wieder mal die Hälfte verpasst hast und jetzt sogar störst. Du musst es dir gefallen lassen, als langsame Schnecke zu gelten.

Um auf das Märchen-Alphabet zurückzukommen, ich hatte Mühe, die aufblitzenden Bilder gleich wieder loszulassen, um an den Buchstaben dranzubleiben. Dafür hakte mein Gehirn aber nicht nur Fakten ab, sondern spendierte mir einen besonderen bildlichen Detailreichtum. Wir lasen in der Schule beispielsweise den Satz: „Ein schönes Reh steht mitten im Wald. Es ist braun.“ Die Farbe Braun ist das eine, das Reh das Nächste, bis zu den Bäumen kam mein Gehirn nicht mehr mit. Meine Aufmerksamkeit war vollkommen gebannt und fasziniert von dem Tier. Ich sah es vor meinem inneren Auge. Ein so zartes Tier, man möchte es unbedingt streicheln. Mit all meinen Sinnen fühlte ich die Szene: der sanfte Blick, der dampfende Atem, die langen Wimpern an den Lidern, die über den Augen auf- und niedergehen. Die Ohren zucken ein wenig. Meine Mitschüler waren längst eine Seite weiter, nur ich stand noch bei dem anmutigen Tier. Leider gab es dafür so selten Verwendung im Unterricht.

Ich hätte die gleißenden Kleider von Schneeweißchen und Rosenrot minutiös beschreiben und im Kopf sogar umnähen können, doch es ging allein darum, das Sch und das R zu schreiben. Dieser für die meisten einfache Vorgang war noch mit einer weiteren Schwierigkeit verbunden: Einzelne Buchstaben waren mir suspekt, denn sie flogen immer ein wenig vor meinen Augen herum und ich musste sie dann mit anstrengender Konzentration wieder einfangen – das fantasierte Dasein als Prinzessin war wesentlich angenehmer. Ich sah die Tinte, aber keine Buchstaben. Mein Gehirn „sah" sie nicht so fixiert, wie sie eigentlich dastanden. Wenn ich Pech hatte, erschienen sie sogar seitenverkehrt. Oder ich sah Buchstaben, die gar nicht dastanden, oder übersah Buchstaben, die eigentlich dastanden, beispielsweise sah ich „kein" oder „ein", was die Sache durchaus kompliziert machte, wenn es um die Frage ging, ob man der Suppe schon ein oder noch kein Gewürz hinzugefügt hat. Ohne Salz schmeckt sie nicht.

Von allen Bedeutungsaspekten einmal abgesehen, waren Lesen und Schreiben purer Stress für mich. Ich kann es rückblickend nicht mal als ein Abenteuer schönreden, dass ich mich ständig mit einzelnen Buchstaben über ihre Positionen in Wörtern und mit Wörtern über ihre Position in Sätzen streiten musste. Es hätte von einem aufregenden Abenteuer nicht weiter entfernt sein können.

Der kontinuierliche Kampf mit den Bestandteilen von Sätzen an sich erschwerte es enorm, Inhalte zu erfassen. Kamen noch viele abstrakte Begriffe hinzu, wurde es schier unmöglich. Denn ein legasthenisches Gehirn erfasst Buchstaben und Wörter, wenn es sie einmal gebändigt hat, gewissermaßen gegenständlich: Ein Wolf ist ein Tier, das ein Fell hat, das man streicheln kann (oder leider eher nicht). Eine Blume ist eine Pflanze, die bunt ist und an der man schnuppern kann. So in etwa konnte ich mir Worte erschließen. Je abstrakter Wörter wurden, desto verwirrender wurde es. Wenn ich die Wörter nicht mehr „riechen" oder „be-greifen" konnte. Je abstrakter Sätze aufgebaut waren, desto schwieriger waren sie für mich inhaltlich zu erfassen. Ich griff ins Leere. Alle „Eigenschaftsworte" kamen mir in dieser Hinsicht einen gewaltigen Schritt entgegen. Eigenschaften waren wunderbar! Allerdings war dann das Schloss nicht weit ...

Das freie Schulkonzept war für mich Segen und Fluch zugleich. Meine kreative Ader konnte sich in der Freiheit des unkonventionellen schulischen Ansatzes gut entfalten, jedoch wurden Lesen und Schreiben nicht so stringent unterrichtet wie in staatlichen Schulen, was mir unter Umständen geholfen hätte oder zumindest dazu hätte führen können, in meiner Schwäche erkannt zu werden. So blieb ich ohne Diagnose, denn weder meine Lehrer noch meine Eltern haben jemals an Legasthenie gedacht. Also musste ich mich alleine irgendwie mit den Symptomen durchschlagen.

Gott sei Dank gab es keine Noten, und das, was auf dem Zeugnis stand, klang dann für meine Mutter wie: „Fiona ist in Deutsch nicht so toll, aber es ist auch nicht besorgniserregend." Für mein Sozialverhalten wurde ich gelobt und die künstlerische Begabung hervorgehoben. Punkt, aus. Das war doch gut.

PLATZWUNDEN

Bei der Legasthenie entstehen oft Sekundärproblematiken, von Schulangst über fehlende Lernmotivation bis hin zu ADHS. Bei schweren Fällen können Depression und suizidale Gedanken dazukommen. Es gibt diverse Präventions-, Therapie- und Förderprogramme, um dem entgegenzuwirken: Übungen zur Konzentration und Entspannung, die Erarbeitung von Selbsthilfemethoden, Techniken der Fehlerkontrolle und Selbstbestätigung, das Einüben von Bewältigungsstrategien bei Versagenserlebnissen, Verhaltenstrainings bei Stigmatisierung und Ausgrenzung ... Keine einzige dieser sinnvollen Maßnahmen ist mir zuteil geworden, und auch heute gibt es noch zu viele Kinder mit Handicap, die zu wenig Unterstützung bekommen. Als Schulkind hatte ich nur die Chance, mich mit meinen strukturellen legasthenischen Schwierigkeiten und den Sekundärproblematiken gut zu arrangieren. Ich hatte das Glück, dass es genug andere Interessen gab, die mich aufmunterten. Mit meiner nicht kleinzukriegenden Kreativität und Freude an den schönen Seiten des Lebens betrieb ich unbewussten Ressourcenaufbau. Denn auch wenn ich noch so sehr unter Druck stand, ließ ich mir meinen Spaß und meine Freude nicht nehmen. Eine Kraft, die mir segensreicherweise in die Wiege gelegt wurde. Es gab immer Dinge, denen ich mit Begeisterung folgte.

Mit diesem Verhalten kompensierte ich natürlich auch all die Gefühle der zunehmenden Überforderung und Verunsicherung, die Scham, die schulischen Versagensängste. Ich lenkte mich ab, war bemüht, Schulstress zu vermeiden und mich von den Hausaufgaben fernzuhalten. Nach der Schule zu Hause angekommen, flog mein Schulranzen in die Ecke und ich machte einen Bogen um ihn. Als würde ein Monster darin lauern, bereit, mich zu verschlingen. In gewisser Weise habe ich als Mädchen früh die Erfahrung gemacht, dass das, was mir Spaß machte, mich wieder in einen kraftvollen Zustand zurückfinden ließ und mich entspannte. Es hieß, alles Herausfordernde und Überfordernde einfach für eine Weile zu ignorieren und innerlich wegzuschieben. Lieber Balletttanzen, als mit den Schwierigkeiten konfrontiert zu sein. Rückblickend weiß ich, dass das ein ganz natürliches Verhalten war. Kinder sind Meister der kreativen Lösungen. Sie finden ihre Wege, wenn auch unbewusst, um mit schwierigen Situationen umzugehen. Die Strategien, die sie hierbei entwickeln, sind das Beste, was ihnen zur Verfügung steht.

Gleichwohl kann dies die Geburtsstunde dysfunktionaler Muster und Verhaltensweisen sein, die das Leben häufig noch im Erwachsenenalter im Griff haben.

Meine lebendige kreative Schöpferkraft wurde mir damals also zur Ressource und auch zum Fluchtpunkt. Mein junges Vermeidungsverhalten war Ausdruck meiner Freude und meiner Kraft und gleichzeitig ein Akt der Verdrängung. So entstand eine verwirrende Verbindung in mir, die mich im jungen Erwachsenenalter noch herausfordern sollte. Als Kind dachte ich natürlich nicht an Stressbewältigung, an Musterbildung und innere Ressourcen, ich wollte einfach nur aufblühen und folgte meinem Instinkt.

Legastheniker:innen schieben wie viele Menschen Unangenehmes gerne vor sich her. Als Kind gab es für mich nichts Unangenehmeres als die Schule und meinen Weg dorthin.

Meine Lösung war simpel – ich trödelte. Mein Weg in die Schule war lang. Einen Teil legte ich zu Fuß zurück, einen größeren mit der U-Bahn. Ein Weg, der nichts Freudvolles für mich hatte. Schule war für mich von Beginn an ein sinnloses Unterfangen. Die Trennung meiner Eltern warf lange Schatten auf die ersten ein bis zwei Schuljahre. Mein Zuhause war einsam geworden, ich war allein und ängstlich. Niemand wartete auf mich mit einem warmen Mittagessen und liebevoller Hausaufgabenunterstützung. Nachdem meine alte Welt zusammengebrochen war, gab es kein Interesse in mir, eine neue zu betreten, zumal diese auch noch mit Herausforderungen verbunden war.

Natürlich verlor ich schulisch den Anschluss. Ich fühlte mich zusehends dumm und unfähig. Warum um alles in der Welt sollte ich den Schulweg genießen? Ich nahm Zuflucht im Schönen, in dem, was mir Freude bereitete, das konnte ich, das war meine Ressource. Ich heftete meinen Blick in die Baumkronen oder strich mit den Händen über Geländer oder Sträucher, ich betrachtete den Himmel und die Wolken, die wie Tiere aussahen, hielt mein Gesicht in die Sonne oder auch in den Regen. Im Winter stapfte ich gern neben dem Fußweg in die Schneehaufen. Sicher machen andere Kinder das auch gern, aber es war weniger mein aktivierter Spieltrieb als meine innere Not, sinnliche Eindrücke in mich aufzusaugen, um mich abzulenken. Die Hauptsache war, dass ich emotional berührt wurde, weil mich das enorm entspannte.

In den ersten fünf bis sechs Schuljahren führte dies dazu, dass ich meist auf den allerletzten Drücker zur Schule kam. In dieser Zeit hielt ich mich noch an die vorgegebenen Regeln der erwachsenen Autoritäten. Als Pubertierende war ich dann die, die fast immer zu spät kam.

Und dann die Tagträumereien. Eine meiner nächsten Ausweichstrategien. Sobald ich das Schulgebäude betrat, driftete ein Teil von mir weg. Später, im Klassenzimmer, machte ich mir häufig Gedanken über die Welt, die Sterne oder flog gedanklich aus dem Fenster nach draußen zu den Vögeln.

Richtig gefordert war ich vom sogenannten Epochen-Unterricht auf der Waldorfschule, der für mich einen entscheidenden Nachteil hatte: Ein ganzer Monat war immer einem besonderen Fach gewidmet. Während der Epoche „Deutsch" hatte ich also kaum Ausweich- oder Ausgleichsmöglichkeiten. 90 Minuten Deutsch an jedem einzelnen Tag der Woche während eines ganzen Monats! Schule wurde noch unangenehmer, die innere Beklemmung durch Schönes zu ersetzen noch dringender. Im Klassenzimmer war ich kaum richtig anwesend, ich bin weit mit den Vögeln geflogen ... Das Unterrichtskonzept setzt darauf, sich für eine bestimmte Dauer ganz auf ein Fachgebiet zu konzentrieren, was durchaus Sinn macht, denn so kann man sich intensiv darauf einlassen und das frisch angeeignete Wissen gleich vertiefen.

Wenn andere Epochen wie „Geschichte“ oder „Geografie“ an der Reihe waren, wurde trotz meiner grundsätzlichen Unlust mein Interesse geweckt. Ich zeichnete gerne präzise Landkarten. Wie schön es war, die Welt auf andere Art und Weise zu erfassen. Außerdem wurde meine Neugier von historischen Ereignissen geweckt, aber bei Deutsch kam ich doch arg an meine Grenzen.

Tollpatschigkeit ist die kleine Schwester der Tagträumerei, und auch mit dieser war ich gut bekannt. Mit neun oder zehn trug ich die damals modernen Collegeschuhe, in denen ich ständig über meine eigenen Füße stolperte. Zumindest wirkte es so, als wären die Schuhe daran schuld. Zweimal hat es mich tatsächlich der Länge nach hingestreckt.

Zweimal war das Resultat eine Platzwunde am Kopf, mein Gesicht war blutüberströmt. Natürlich war eine sofortige Kehrtwende angesagt und ich bin auf schnellstem Wege zurück nach Hause zu meiner Mutter, um mich verarzten zu lassen. Die Pflege meiner Wunden durch ihre warmen Hände tat mir unendlich gut, ein seltener Moment von Körperkontakt. Natürlich gab es keine andere Möglichkeit: Ich musste zu Hause bleiben. Die Erleichterung, die ich als Kind empfunden habe, nicht in die Schule zu müssen, kann ich noch heute fühlen.

Letztlich bin ich durch die Schule gerade so durchgesegelt. Es gab ja auch Schüler:innen, die ebenfalls schlechte Leistungen erbrachten, wahrscheinlich alles unerkannte Legastheniker:innen.

SHOWTIME

Schon als kleines Mädchen liebte ich es, vor meinem Vater und meiner Mutter zu performen, also zu tanzen und zu singen und kleine Stücke aufzuführen. Diese Leidenschaft wurde nur kurz durch die Trennung meiner Eltern unterbrochen. Danach war es meine Mutter, die die „Premieren" erlebte, bei den gelegentlichen Besuchen bei meinem Vater gab es dann auch eine „Dernière". Ich war vollauf damit beschäftigt, mir Geschichten und Figuren auszudenken, Dialoge zu erfinden – und immer wieder zu verändern, weil mir ständig ein neues Ende vorschwebte. Die Gespräche meiner Figuren habe ich tatsächlich schriftlich niedergeschrieben. Zwar kaum lesbar und voller Fehler, aber für meine Kreativität stellte das kein Hindernis dar.

Ich hatte Freude, zu improvisieren, aufwendige Kostüme und imposante Frisuren zu kreieren und die jeweilige Bühne für meine Auftritte schillernd zu dekorieren. Selbst das technische Equipment wählte ich sorgfältig aus und zeigte mich – frühe Frauenpower – darin ausgesprochen geschickt. Ich hielt bereits mit fünf, sechs Jahren das Mikrofon fest in der Hand und mein Kinderzimmer glich einem Kleinkunst-Unternehmen. Ich plante solche Events ebenfalls gerne mit meiner besten Freundin, da machten die Dialoge wirklich erst Sinn. Aber auch sonst im Alltag simulierte ich oft Sänger:innen und Schauspieler:innen, die ich im Fernsehen gesehen hatte, oder ließ die Protagonisten aus meinen Hörspielen lebendig werden, indem ich meine Stimme verstellte.

Das Dschungelbuch war mein absoluter Topfavorit und ich habe alle Figuren stimmlich kopiert. Also faktisch konnte ich das Dschungelbuch und alle meine anderen Hörspiele auswendig. Balou, Mogli, Shir Khan, die Schlange Ka, selbst die Sprecherstimme, waren einfach die unschlagbare Nummer eins. Vor allem meine Oma war ein großer Fan. Wahrscheinlich konnte sie das Dschungelbuch ebenfalls annähernd auswendig, so oft habe ich ihr meine Version in der Küche vorgetragen, während sie kochte. Auch meinen frühen selbstkreierten Bühnenstücken hat sie gerne und mit Freude beigewohnt.

Sie nahm meine Ideen immer ernst und unterhielt sich auch mit mir über das, was ich spielte und warum ich es spielte. Sie hat mich gefördert und bestärkt, indem sie meine Rollenspiele nicht als kindliches Zeug abtat oder albern fand.

Meine Oma sagte immer zu mir: „Du wirst mal Schauspielerin und du bekommst Kinder." Sie sollte damit recht behalten. Ob sie meine schauspielerische Begabung erkennen konnte, da mein Opa Aufnahmeleiter beim Film war und mein Vater, ihr Sohn, als Schauspieler erfolgreich war, sie also nah dran war am Film, weiß ich nicht. Vielleicht hatte sie auch einfach ein gutes intuitives Gespür oder meine Leidenschaft war zu offensichtlich.

Meine Besuche in Berlin waren immer auch Inspiration, neue Szenen zu entwickeln, beispielsweise regte es meine Fantasie an, als ich mit meiner Oma eines Samstags über den riesigen Kiezmarkt ging, um einzukaufen. Ich spitzte meine Ohren nach den meist knappen Gesprächen zwischen Kunden und Verkäufern, belauschte kleine Streits oder studierte die Mimik der Leute. Kaum wieder zu Hause, half ich beim Auspacken und schnappte mir die kleinen dreieckigen Papiertüten fürs Obst, um gleich am Küchentisch einen Marktstand zu eröffnen und meine Waren anzubieten. Ich veränderte meine Stimme und imitierte den fast prolligen Berliner Dialekt: „Wat wolln se denn junge Frau, sind meine Äppell hier nich jut jenuch, wa? Jehn se doch weiter, na los! Andre wolln och noch kofen." Dann wandte ich mich explizit auf die andere Seite im Raum und schrie: „Frische Äppel, frische Äppel, komm'se ran hier! Hier, komm'se ran!" So in etwa.

Meine Großeltern lebten im ehemaligen amerikanischen Sektor Neukölln. Etwa im Alter von elf bis dreizehn durfte ich zusammen mit den großen Jungs aus der Nachbarschaft das deutsch-amerikanische Volksfest besuchen, wenn ich zu dieser Zeit gerade bei ihnen die Ferien verbrachte. Das hieß für mich vor allem ein Spektakel der Farben, Menschen, Geräusche und Zuckerwatte. Die fabelhafte Welt der Festplätze, all die sinnlichen Eindrücke tanzten in meinem Herzen. Einmal kehrte ich überglücklich nach Hause zurück und berichtete meinen Großeltern mit großer Detailtreue, was ich erlebt hatte.

Vielleicht war ich in diesem konkreten Jahr auch in einen der großen Jungs verknallt, jedenfalls war ich in einer überschäumenden Stimmung und mein Opa sagte: „Meene Kleene, dat war ja wieda ma 'n janzet Buch, wat de da erzählt hast." Ein ganzes Buch ... das war nicht das, was ich hören wollte. Wie sollte ich meine lebendige, emotionale Erzählung in geschriebene Wörter übersetzen? Von meinem Opa war es gut gemeint, doch ich fühlte mich überfordert.

Das ist ein weiteres Merkmal von Legastheniker:innen. Viele können wunderbar erzählen, aber das Erzählte kann nicht in Schriftform gebracht werden.

Mein Opa hat damals den Vergleich mit dem „ganzen Buch“ sicherlich nicht nur gezogen, weil ich so ausschweifend Bericht erstattete, sondern auch mit einer lebendigen Bandbreite an Vokabeln, Gesten und Stimmen aufwartete. Wahrscheinlich wurde er Teil des fabelhaften Volksfestes.

Legas-Teenie

LIEBE UND ANDERE PEINLICHKEITEN

Vorlesen war zu meinem „Glück" eine seltene Alltagsanforderung. In der Schule war ich dem Stress dieser Herausforderung nie ausgesetzt. Beim Vorlesen kamen mir die Wörter nur schleppend über die Lippen, auch wenn sie mir immerhin irgendwann, irgendwie über die Lippen kamen. Ein außerordentlich beschämender Vorgang für mich, der darüber hinaus mit einem noch viel größeren Problem verknüpft war. All die Wörter setzten sich in meinem Gehirn nur bruchstückweise in Sinn und Inhalte zusammen. Ich konnte die einzelnen Worte verstehen, aber nicht den Zusammenhang. Wenn ich vorlesen musste, war diese Problematik durch den Stress noch potenziert. Wenn ich für mich alleine las, half mir meine Fantasie über viele Lücken hinweg. Ich reimte mir vieles zusammen, vermutete, ahnte und spekulierte, und letzten Endes hatte ich innerlich nicht den direkten Vergleich: Wie anders müsste es sich denn anfühlen?

Ein typisches Merkmal für Legastheniker:innen: Lesen können, ohne den Inhalt zu erfassen, und das Fehlende in kreativer, aber dysfunktionaler Eigenleistung zu ersetzen. Den Stress des ruckeligen Lesens und Schreibens verdrängte ich. Es gab genug andere Dinge. Ich hatte Freund:innen und spielte gern. Meine nach wie vor blühende Fantasie bereicherte meine Welt und in meinem geliebten Ballettunterricht konnte ich tanzen und mich im Kreise drehen.

Dennoch ließ mich das Holpern nicht ganz kalt. Mit den wechselnden Schuljahren nahm ich mehr und mehr wahr, doch nicht in allem so zu sein wie meine Mitschüler:innen. Ich bemerkte zunehmend den Unterschied und entwickelte meine ganz eigenen Strategien, damit umzugehen. Wichtig war mir vor allem, nicht aufzufallen oder bloßgestellt zu werden. Ich begann mich auf meinem Stuhl kleiner zu machen, um nicht mehr gesehen zu werden, und vermied es, mich im Unterricht zu melden. Ich litt unter den Anforderungen, denen ich im Klassenzimmer ausgesetzt war. Aufatmen konnte ich erst, wenn der Gong nach der letzten Stunde ertönte. Wirklich befreit fühlte ich mich, wenn ich den Stift nach den Hausaufgaben fallen lassen konnte.

„Alle Kinder, die das Lesen und Schreiben erlernen, machen anfänglich die gleichen Fehler in verschieden starkem Ausmaß. Bei den meisten Kindern nehmen die Probleme jedoch sehr rasch ab und verschwinden schließlich weitgehend. Kinder mit Legasthenie machen die Fehler wesentlich häufiger, und die Probleme bleiben über lange Zeit bestehen. Auffällig ist besonders, dass die Fehler kaum Konstanz erkennen lassen: Weder ist es möglich, stabile Fehlerprofile zu ermitteln, noch gibt es eine bestimmte Systematik der Fehler. Ein und dasselbe Wort wird immer wieder unterschiedlich falsch geschrieben." (Wikipedia)

Als Schlüsselkind war ich an den Nachmittagen nach der Schule immer allein. Zwischen mir und meiner Mutter kursierte ein reger Zettelverkehr, auf diese Art teilten wir uns gegenseitig mit. Sie schrieb mir beispielsweise auf, was ich essen konnte, ob ein Topf Suppe zum Aufwärmen im Kühlschrank zu finden war ... Ich schrieb ihr, dass ich zum Ballett ging und anschließend noch bei einer Freundin blieb ... Aufgrund meiner Schreibschwäche rangierten Symbole auf meinen Notizblättern meist ganz oben: Smileys, Sonnen, Sternchen und Herzchen. Natürlich in Farbe. Als ich ungefähr elf Jahre alt war, schrieb ich ihr einmal: „Mama, ich hab dich lip.“ Als ich später nach Hause kam, verzog sie schon an der Wohnungstür die Mundwinkel und hielt mir den Zettel unter die Nase. Ich glaube, sie meinte es nicht böse, denn im nächsten Moment lächelte sie wieder und bat mich mit einladender Geste, das Wort noch einmal neu zu schreiben. Als ich es prüfend auf meinem Briefchen las, war mir das unglaublich peinlich. Ich wusste zwar nicht, was daran falsch war, aber ich wusste, dass es falsch war. Es war beschämend für mich, mein Herz auf fehlerhafte Weise auf den Tisch gelegt zu haben, in einer intimen Offenheit ertappt zu werden. Ich hatte ihr auf schriftlich ungenügende Weise meine Liebe offenbart. Ich schrieb das Wort noch einmal, immerhin schon mit einem b, aber das e fehlte immer noch. Sie bat mich das Wort noch einmal zu schreiben, bis ich es konnte. Das war eine Lektion fürs Leben, eine Art Schocktherapie. Das Wort „Liebe“ habe ich in meinem Leben nie wieder falsch geschrieben.

DONALD DUCK

Kinder mit einer Legasthenie verlieren häufig die Zeile oder den Satz, den sie gerade lesen, und sie erfassen dann nicht den Inhalt. Sie kommen nicht in den richtigen Lesefluss. Stelle dir einen sprudelnden kraftvollen Flusslauf vor: Ein Kanu sucht sich elegant und wendig den Weg durch die tosenden Wasserstrudel, es findet seinen Weg nicht, es dreht sich, verliert sich in der Strömung. Die Augen fixieren die Buchstaben und Wörter nicht, sondern schwimmen willkürlich zwischen ihnen. Als würden deine Augen beim Lesen wie kleine, unruhige Biester immer wieder ausreißen. Du musst sie mit viel Mühe zurückpfeifen, immer und immer wieder.

Es klingt nicht gerade ermutigend, aber der schwächere Wortspeicher gehört zu den Ursachenfeldern der Legasthenie. Wenn man das weiß, ist es leichter, sich einem passenden Übungsprogramm anzuschließen, denn Legasthenie ist zwar nicht „heilbar", aber immerhin kann man die daran hängenden Beeinträchtigungen erheblich mildern. Und man kann sich mit einem entsprechenden Training erfolgreich verbessern.

Wie schon erwähnt, bekam ich als Kind keine methodische Förderung, die ich hätte gezielt anwenden können. Was ich hatte, war meine innere Freude und diese entzündete sich vor allem bei Comics. Donald Duck habe ich regelrecht verschlungen, wenn es auch ein langsames Verschlingen war. Die fehlende Schnelligkeit tat meiner Neugier auf die Geschichten keinen Abbruch. Dies ließ mich durchhalten und üben, ohne dass es im eigentlichen Sinne ein Üben war. Die lustigen Taschenbücher waren meine Lieblingsbücher. Ich war etwa elf Jahre alt, als mir meine Mutter J. R. R. Tolkien auf den Schoß legte und mit ihrer süßen Stimme in herrlichstem Englisch meinte: „Go and read it. You will love the Hobbits." Brav nahm ich die Lektüre abends mit ins Bett, aber schon nach den ersten paar Seiten war klar, dass das keine leichte Kost für mich war. Dieses Buch bereitete mir keine Freude. Ich klappte es zu und fasste es nie wieder an. Erst viel später, als die Filmtrilogie von „Herr der Ringe“ herauskam und meine Kinder von dem Epos fasziniert waren, verstand ich, was meine Mutter daran gefunden hatte.

Rückblickend ist es für mich eine frustrierende Erkenntnis, von meiner Mutter nicht erkannt worden zu sein. Sie hatte es gut mit mir gemeint und mir diese unglaubliche Geschichte über Elben, Zwerge, Hobbits, dunkle Herrscher und orkische Handlanger näherzubringen versucht. Nie jedoch hat sie mich gefragt, warum ich das Buch einfach wieder aus der Hand gelegt hatte, wie sie auch in Bezug auf mein mangelhaftes Liebeszettelchen nicht nachhakte. Zwei von vielen verpassten Möglichkeiten, meine Schwierigkeiten zu erkennen. Aber mittlerweile war ich ja Meisterin im Mich-alleine-Durchboxen, nach Jahren des Trainings.

Zum Glück hatte ich noch Donald Duck und konnte Tolkien vergessen, so schnell es ging. Hier musste ich nicht 50 Seiten durchhalten, bis die Geschichte richtig Fahrt aufnahm. Sofort ging es um Dinge, die ich liebte: Donalds Verrücktheit, seine schlauen Enkel Tick, Trick und Track, den stinkreichen Dagobert. Ich liebte Donalds Unbeholfenheit, seine Angeberei, die meist wie ein Kartenhaus in sich zusammenfiel, die tapsige Naivität. Dabei ist er immer lebensfroh geblieben.

Dass ich mit eifriger Beharrlichkeit dranblieb, obwohl es dennoch nicht schnell ging mit dem Lesen, lag daran, dass ich Spaß hatte. Die Bilder unterstützten mich dabei, den Inhalt zu erfassen. Die perfekte Lektüre für mich. Hauptsache lesen. Mit etwa zwölf Jahren kamen Groschenromane dazu.

Die kleine billige Lektüre mag literarischer Schund gewesen sein, doch ich liebte sie und ich las. Sie waren eine selbstauferlegte „Hausaufgabe“, die ich mochte und die mich üben ließ. In den zwei oder drei Jahren zuvor hatte ich immer wieder verpflichtende „Hausaufgaben“ gehabt.

Bücher, die ich lesen musste: Diese hatten mich immer wieder mit der Problematik des Wortspeichers konfrontiert, und ich meisterte diese genauso, wie ich es dann später in der Fachliteratur zur Legasthenie nachlesen konnte. Blieb ich an einem Wort mit den Augen kleben oder konnte ich dessen Bedeutung nicht für mich übersetzen, ging ich zunächst mehrfach zurück an den Anfang des Satzes und versuchte es erneut. Klappte das nicht, las ich darüber hinweg und reimte mir meinen Teil einfach zusammen. Auch wenn sich in den Folgesätzen nicht immer eine passende Erklärung nachschob, reichte mein Gesamtverständnis aus. Es war ein Normalzustand, dass mir Details schleierhaft blieben. Entweder bediente ich mich freier eigener Interpretationen oder die bleibenden Lücken waren mir egal. Mut zur Lücke war meine kreative, gleichwohl tragische Vorgehensweise. Meine beste Leseunterstützung blieb Donald Duck. Er und seine Enkel haben mir geholfen, meine Lesefähigkeiten wesentlich zu verbessern, sodass ich mir bei meinen heißgeliebten Romanheften, die in etwa Titel hatten wie „Verbotene Liebe bei Sonnenuntergang“, nichts mehr zusammenreimen musste. Sobald meine Begeisterung und Freude für Geschichten aktiviert war, wurden diese positiven Gefühle zu meinem Kanu, das mich die Stromschnelle überwinden ließ.

MUTTERSEELENALLEIN

Im Ich-hab-dich-lip-Jahr erkrankte meine Mutter lebensgefährlich an einer Meningitis. Niemand wusste, ob sie das überleben würde. Von heute auf morgen entriss mir das Leben meine einzige Bezugsperson. Obwohl sie zu wenig da war, hatte sie immer einen riesigen Platz in meinem Herzen. Plötzlich war sie nicht mehr zu Hause und sollte mehrere Wochen auf der Intensivstation liegen. Mein Vater konnte nicht informiert werden, in dieser Zeit gab es noch keine Handys. Meine Mutter spekulierte, dass er in Griechenland in einer Höhle beim Meditieren sitze. Heute denke ich, sie wollte sich nicht um meinen Vater bemühen, denn er hat mir Jahre später erzählt, noch nie in seinem Leben in einer Höhle nach Erleuchtung gestrebt zu haben. Auch hätte er alles stehen und liegen lassen und sich unverzüglich auf den Weg nach Deutschland gemacht, um für mich da zu sein. Wie auch immer, er war fort und ich war alleine. Ich kam im Haushalt einer Mitschülerin unter, deren Mutter sich sofort bereit erklärte, mich zu versorgen. Für mich war die Situation dermaßen belastend, dass ich bis heute nur ganz wenige konkrete Erinnerungen daran habe. Ich stand unter Schock, zum zweiten Mal in meinem Leben nach der Trennung meiner Eltern, und meine Verdrängungsmechanismen hatten ganze Arbeit geleistet. Ich war entwurzelt, aus meinem Zuhause gerissen. Meine 50 Kuscheltiere und Puppen, die alle Namen hatten, füllten meinen Koffer, damit ich in dem fremden neuen Heim zumindest etwas vertrauten Halt finden konnte. Meinem Zeugnis kann ich auf jeden Fall entnehmen, dass ich gewaltige Leistungseinbrüche zu verzeichnen hatte. Kein Wunder, dafür muss man keine Legasthenie haben. Es reißt jedem Kind den Boden unter den Füßen weg, wenn die Mutter mit dem Leben ringend auf der Intensivstation liegt.

Die Gefühle der Angst, meine Mutter zu verlieren, sind mir heute noch sehr präsent. Sie ließ mich nur selten zu Besuch in die Klinik kommen, um mich nicht ständig mit ihrem entkräfteten und abgemagerten Anblick zu schockieren. Es ist schwer zu sagen, was nun schlimmer für mich war: ihr ausgezehrter Körper oder dass ich sie vermisste. Ich kann heute nicht mehr ganz genau rekapitulieren, wie lange ihr Klinikaufenthalt dauerte, aber mir erschien es wie eine schreckliche Ewigkeit. Eines Tages holte mich mein Onkel ab, um mit mir ein weiteres Mal ins Krankenhaus zu fahren. Meine Mutter lag immer noch auf der Intensivstation. Ich durfte wie immer nicht zu ihr hineingehen, sondern musste hinter der Glasscheibe stehen bleiben. Ich glaube, das war das Allerschlimmste, dass ich sie nicht einmal berühren konnte. Kein Kuss, kein Streicheln, kein gar nichts.

Wie damals üblich, durfte ich nur für ein paar kurze Momente dort verweilen. Links und rechts neben ihrem Bett standen die furchteinflößenden Apparate, an die sie angeschlossen war. Sie sah mich müde an und lächelte kurz. Ich sah sie traurig an und winkte ihr zu. Für mein kleines Mädchenherz eine Tortur, für ihr Mutterherz ein einschneidender Moment. Von diesem Tag an war sie über den Berg und es ging mit der Genesung langsam, sehr langsam aufwärts. Meine Mutter erzählte mir später, lange Zeit nach ihrer Entlassung, ich hätte an diesem Schicksalstag in ihr eine Verwandlung bewirkt. Der Anblick meiner Verletzlichkeit entfachte einen Funken in ihr, ihr Überlebenswille wurde entzündet, gesund zu werden, um für mich da zu sein. Der Gedanke, sie könnte sterben und ich wäre allein, sei ihr unerträglich gewesen. Das hätte ihr das Herz gebrochen. Sie sagte: „You saved my life!"

Sie hat mir damit damals auch eine unsichtbare Bürde auferlegt. Es war nicht der Satz alleine, er steht eher symbolisch für die Rolle, in die ich zusehends schlüpfte. Ich wurde ihre Lebensretterin und begann, mir Sorgen um sie zu machen. Ich wollte sie unbedingt schützen. Ich fing an, mich um sie zu kümmern, obwohl ich eigentlich die war, die Hilfe und Unterstützung gebraucht hätte.

Auf der anderen Seite berührt mich diese Erfahrung auch heute noch zutiefst. Wie in dieser existenziellen Situation die unglaubliche, wunderbare und bedingungslose Kraft der Mutterliebe sichtbar wird, die meine Mutter wieder ins Leben zurückgeführt hat.

Das Jahr nach der Klinik war davon geprägt, dass es meiner Mutter oft nicht gut ging und sie für Monate nicht arbeitsfähig war. Sie erholte sich nur in Minischritten, litt häufig unter Nervenschmerzen und war insgesamt wenig belastbar und schnell gereizt.

Die Langzeitfolgen ihrer Hirnhautentzündung waren weitreichend. Um die finanziellen Einbußen auszugleichen, sah sich meine Mutter gezwungen, ihr Schlafzimmer zu räumen und unterzuvermieten. Sie zog kurzerhand zu mir ins Kinderzimmer. Zu Beginn war das für mich völlig selbstverständlich, denn ich wollte sie ja schützen. Wir schliefen im

Doppelbett und ich musste in meinen Schränken Platz machen für ihre Garderobe. Eine Situation, die sich in etwa über zwei Jahre zog.

Der anfängliche Schutzinstinkt wich mit meiner beginnenden Pubertät einer zunehmenden Unzufriedenheit über das viel zu enge Zusammensein. Das Einzige, was mir daran gefiel, war, dass die Untermieterinnen immer Models waren, die für Fotoshootings oder Werbedrehs in Hamburg weilten. Sie kamen meist aus den USA, aus Afrika oder England und ich freundete mich immer gerne mit ihnen an. Ich fand es spannend, mir den Inhalt ihrer Koffer zeigen zu lassen, ließ mich gerne von ihnen schminken und vor allem brachten sie mir bei, wie man sich richtig sexy über einen Laufsteg bewegt. Für Letzteres nutzten wir den langen Flur unserer großen Altbauwohnung, an dessen Ende ein bodentiefer Spiegel stand. Gespannt und voller Aufregung habe ich jede Bewegung, jedes Detail ihrer Darbietungen beobachtet. Wenn sie auf High Heels unseren Gang zum Leuchten brachten. Sie haben mir den richtigen Hüftschwung gezeigt, coole sexy Posen vor dem Spiegel und wie man elegante Drehungen aufs Parkett legt.

Klar habe ich geübt wie ein emsiges Bienchen. Viele der jungen Models waren gleich für ein paar Wochen in Hamburg. Oft hatten sie nur wenige Kontakte und sprachen kein Deutsch. Obwohl so viel jünger, war ich ihnen sicherlich auch eine willkommene Gesprächspartnerin. Ein schüchternes und doch quirliges Englisch sprechendes Mädchen voller Neugier und Interesse. Mit ihnen zog der Hauch einer glamourösen und weiten Welt bei uns ein, der mich inspirierte und beflügelte.

Es kam, wie es kommen musste: Als ich so um die 13 war, fiel es mir immer schwerer, mit meiner Mutter im selben Zimmer zu hocken. Die Spitzenschuhe, die ich ein paar Wochen vorher zwischen Ballettpostern an meine Zimmerwand gehängt hatte, baumelten dort zwar weiterhin, sie blieben lange ein Heiligtum, doch inzwischen waren sie eingerahmt von Madonna und Cyndi Lauper. Ich stand am Beginn meiner Teenagerjahre. Bevor es jedoch so richtig dramatisch werden konnte, passierte etwas, mit dem ich nicht gerechnet hatte – meine Mutter womöglich auch nicht: Sie verliebte sich neu, und zwar in einen Mann, der reich war. Und ab diesem Moment verschwanden die Models aus unserem Haushalt und meine Mutter aus meinem Zimmer. Eine neue Ordnung entstand.

GIRLS JUST WANT TO HAVE FUN

Um meinen 15. Geburtstag herum überraschte mich meine Mutter mit der Frage, ob ich die nächsten zwei Schuljahre auf einer Waldorfschule in England verbringen wolle. Wie gesagt, ihr neuer Mann war reich und sie wollte mir ermöglichen, ihre geliebte Heimat richtig kennenzulernen. Ich war völlig aus dem Häuschen, weil ich mir solche Möglichkeiten eigentlich nie ausmalte und auch, weil mein Freiheitsdrang und meine Abenteuerlust in dieser Zeit immer stärker in mir erwachten. In den vergangenen Monaten hatte es einige erbitterte Streitereien gegeben. Meine Frustration über ihre Unnahbarkeit und zu häufige Abwesenheit brach sich immer mehr Bahn. Ich war froh wegzukommen, ich spürte schon lange eine intensive Verbindung zu meiner „anderen“ Heimat und jetzt eröffnete sich wie aus dem Nichts plötzlich diese fantastische Option, mit meinen englischen Wurzeln und den dortigen Menschen in Kontakt zu kommen.

Meine geliebte Tante würde nur eine Stunde von mir entfernt wohnen. Ich sagte sofort ja. Ich wagte mich neugierig und voller Aufregung in die weite Welt hinaus, die Michael Hall School in East Sussex wartete auf mich. Die Schule wurde von einheimischen Kindern und Jugendlichen in der Hauptsache und dann auch von Austauschschüler:innen besucht. Gesprochen wurde natürlich englisch. Jetzt kam mir mein bilinguales Aufwachsen zugute. Ich sprach perfekt englisch, gleichzeitig wurden mir Fehler in beiden Sprachen eher nachgesehen, denn Deutsch war hier eine Fremdsprache, und als Deutsche galt ich nicht als englische Muttersprachlerin. Dass ich beides im Schriftlichen nicht wirklich gut beherrschte, fiel hier also weniger auf. Es wurde auch nicht erwartet. Hier waren die Leistungsbedingungen noch viel günstiger für mich als in Deutschland. Als Jugendliche empfand ich das als einen Glücksfall, denn es bedeutete weniger Druck für mich und weniger Druck war immer eine Erleichterung.

Kurz bevor ich nach England gekommen war, hatte ich in dieser Hinsicht noch ein eindrückliches Erlebnis. Es stand eine letzte Klassenreise mit meiner alten Schule an. Wir fuhren nach Holland, unser Ziel war das IJsselmeer nordöstlich von Amsterdam. Ein wunderschönes Segelschiff wartete dort auf uns. Mit Sack und Pack gingen wir an Bord, „heuerten“ an für einen zehntägigen Segeltörn auf dem größten Binnensee der Niederlande. In den ersten Tagen hatten wir raues und schlechtes Wetter, es regnete, die Luft war kühl, die Wolken hingen niedrig. Doch unsere Kajüten waren wohlig warm und der Seemannstag wurde von ausgiebigen Pausenzeiten unterbrochen. Ich teilte mir die Kajüte mit drei anderen Mädels, leider allesamt Leseratten. Sie verbrachten jede freie Minute mit Schmökern. Eine hatte ihren ganzen Koffer voller Bücher, die wollte sie in den zehn Tagen alle „runterrattern". Ich hatte bei der Packliste, die uns vor der Reise in die Hände gedrückt wurde, diesen Punkt wohl aus Versehen übersprungen und kein einziges Buch dabei. Heute vermute ich, dass es mir einfach zu peinlich war, meine geliebten Groschenromane wie „Mitternachtsflüstern" oder „Brennende Leidenschaft" mit an Bord zu bringen. Meine Klassenkameradinnen lasen ernsthafte Jugendliteratur, „Fünf Freunde" und dergleichen. Scham lässt einen schon mal die ein oder andere Anregung übersehen. Ohnehin hatten andere Dinge einen wesentlich höheren Stellenwert. Nach wie vor liebte ich das Tanzen, oder ich hing mit meiner besten Freundin in der Hamburger Innenstadt, bei den Skatern an der Binnenalster ab. Das war angesagt und cool, zumindest für uns.

Jetzt lag ich oben in meinem Hochbett und schielte an die Kajütendecke. Mir war langweilig. Die anderen Mädchen fanden einen wunderbaren Zeitvertreib in den spannenden Geschichten ihrer mitgebrachten Bücher, nur ich hatte keine Beschäftigung. Ich könnte die Anzahl der Bohlen zählen, aus denen die Decke bestand. Darin war ich gut, im Zählen, wenn ich nicht wusste, womit ich mich aus Einsamkeit und Langeweile sonst beschäftigen sollte.

Als Schlüsselkind war ich an langen, einsamen Nachmittagen am Fenster unserer leeren Altbauwohnung gesessen und hatte Autos nach Farben sortiert, gezählt und Strichlisten angelegt. Das war eine meiner kreativen Strategien, um mit dem Alleinsein klarzukommen. Aber ich war keine acht mehr, ich war 14. Zählen war keine Option mehr. Schließlich entschloss ich mich, mir das nicht weiter anzutun, darin war ich Meisterin, Unangenehmes zu vermeiden. In Öljacke und gelben Gummistiefeln schlich ich aus der Kajüte. Auf Deck erwarteten mich das wilde Wetter und der grauverhangene Horizont, hier würde ich mir meine eigenen Geschichten zusammenreimen. Im ersten Moment atmete ich auf und fühlte mich befreit, schüttelte die bedrängenden Erfahrungen, die ich unter Deck erlebt hatte, von mir ab. Ich wollte frei sein. Das erlösende Moment währte nicht lange, schnell flammte ein Gefühl von Einsamkeit in mir auf. Ich fühlte mich von den anderen ausgeschlossen, obwohl ich selbst gegangen war.

Wie schnell doch Kinder und Jugendliche zu Außenseitern werden können, wenn sie nicht das machen können, was die Mehrheit ihrer Mitschüler:innen machen kann, wenn sie Schwächen haben, wenn sie ohne Unterstützung auf bestimmten Gebieten versagen, ob beim Lesen und Schreiben, beim Rechnen, beim Sport. Manche verlieren so gleichfalls den Anschluss an die Gemeinschaft, werden wegen ihrer vermeintlichen Unzulänglichkeiten zusätzlich noch gehänselt oder gemobbt. Das blieb mir zum Glück erspart.

In England fand ich schnell neue Freunde, kontaktfreudig war ich schon immer, egal wie meine äußeren Umstände waren. Die Zurückhaltung und Schüchternheit, die sich durch meine Schulerfahrungen und den Bruch meines Elternhauses in mir eingenistet hatten, wirkten sich darauf nie aus. Wir liebten es, mit dem Zug nach London zu fahren, besuchten verschiedene Dance Studios und tobten uns bei modernen Tanzformen aus – Hip-Hop, Modern, Jazz Dance ... Choreografien waren hier nicht so wichtig, Hauptsache cool. Wir hingen in den Pubs ab und gaben uns älter, als wir waren. Ich entwickelte diese typische leicht hysterische Albernheit, die Mädchen in diesem Alter gerne benutzen, um ihre Unsicherheiten zu überspielen, die aber auch Ausdruck ihrer Lebendigkeit ist.

Zu der Schule gehörte ein Internat, aber einige, so auch ich, waren in Gastfamilien untergebracht. Die Familie, die mich aufnahm, war ein Multikulti-Haushalt. Die Mutter kam aus Marokko, der Vater aus Frankreich, meist wurde französisch gesprochen, englisch war Zweitsprache. Meine Gasteltern hatten drei Kinder. Eine Tochter und zwei Söhne. In den Älteren war ich auf den ersten Blick verliebt und er in mich. Das Haus war klein, aber voller Menschen, denn außer der fünfköpfigen Familie und mir gab es noch zwei Gastschülerinnen. Mit einer teilte ich mein Zimmer, die andere wohnte im Gartenhüttchen. Meine pubertierende Gefühlswelt war in diesem Haus gewissermaßen im Vollwaschgang. Zum einen all die bunten Schmetterlinge, die durch meinen Bauch flogen, zum anderen war ich meinem neuen Freund gegenüber ambivalent. Ich war eingeschüchtert von seiner Intelligenz und seiner viel ausgereifteren Persönlichkeit. Er hatte in seiner Familie viel mehr Geborgenheit, Sicherheit und Förderung erfahren und war dadurch wesentlich selbstbewusster. Ihm gegenüber fühlte ich mich ein bisschen wie ein kleines, unreifes Mädchen. Außerdem hatte sich die Überzeugung, dumm zu sein, gut in mir verankert. Diese Annahme über mich selbst war zu einer fast unumstößlichen Wahrheit geworden. Mein Freund war Klassenbester, ausgerechnet. Doch schienen ihn meine Schwächen nicht im Geringsten zu interessieren. Er liebte mich einfach.

Mit der Hausgemeinschaft war ich ähnlich ambivalent. Ich schätzte es, so viele Menschen um mich zu wissen. Gerade wenn ich nachts in meinem Bett lag, erzeugte dies ein wohliges Gefühl der Geborgenheit in mir, das mir unvertraut war. So war ich nicht aufgewachsen. Zum gemeinsamen Abendessen saßen alle Bewohner:innen des Hauses zusammen in der kleinen Küche, in der ein raumgreifender Tisch stand. Eine schöne Sache, sollte man meinen. Doch für mich war es, als würde ich in einer Prüfung sitzen, und mir war elend zumute. Fast immer kauerte ich appetitlos und etwas zusammengesunken in der Runde und versuchte unsichtbar zu werden, wie ich es schon so oft in der Schule gemacht hatte. Die versammelte Gemeinschaft war jeden Abend in ausschweifende Gespräche und manchmal hitzige Diskussionen vertieft. Es wurde argumentiert, rezitiert und zitiert, hast du das gelesen oder dies gelesen, ach und der Artikel, dieser Autor ... Es war kein Trugschluss, ich war dumm, ich konnte nicht mitreden, nichts einbringen. Ich konnte erst wieder durchatmen, wenn ich mit meinem Freund alleine war.

Meine Ferien verbrachte ich natürlich in Deutschland, und ich war mutig genug, Postkarten an meinen geliebten Klassenbesten zu schreiben. Trotz der immer noch hohen Anzahl an Fehlern hat er mich nie korrigiert, ganz im Gegenteil, er schrieb mir romantische Postkarten zurück. Eine seiner Karten hängt noch heute in meiner Wohnung.

Kennst du „I Wonder" – ein Kurzfilm über Legasthenie von Olivia Selina Marie Nigl? Der sehr berührende 18-Minüter wurde bei ARTE in den Wettbewerb „grenzenlos" aufgenommen und erhielt beim „Independent Star Filmfest" in München in der Kategorie „Bester Kurzfilm 2019" den ersten Preis. Die junge Protagonistin blitzt tatsächlich bei ihrem Schwarm ab – aufgrund der Schreibfehler in ihrem Liebesbrief an ihn. Sehr sehenswert.

Meine Gastmutter war Schauspiellehrerin an unserer Schule und erzählte mir von der Royal Academy of Dramatic Art in London, einer der angesehensten Schauspielschulen weltweit. Sie sollte mich ein Jahr später ermutigen, den Versuch zu wagen, dort vorzusprechen. Offensichtlich hat sie mich nicht für dumm gehalten und etwas in mir wahrgenommen, das auch meine geliebte Oma schon gesehen hat. „Du wirst ma Schauspielerin, meene Kleene!" Traurigerweise hatte ich zu dieser Zeit den Kontakt zu diesem natürlichen Talent in mir, das ich als Kind noch so zelebriert hatte, ein wenig aus den Augen verloren. Nur ab und an ist es aufgeblitzt – Coolness war die Nummer eins.

Heute ist mir klar, warum die äußerliche Lässigkeit wichtiger wurde als der innere Selbstausdruck. Die Jahre der einsamen Bewältigung forderten ihren Tribut. Kinder können eine stabile und reife Persönlichkeit entwickeln, wenn sie auf eine gute und eingestimmte Art und Weise unterstützt und begleitet werden. Eingestimmt bedeutet, dass ihr Umfeld mitbekommt, wer sie sind, was sie ausmacht, wie sie sich fühlen und welche Talente in ihnen schlummern. Meine Oma war in dieser Hinsicht ein Leuchtturm in meinem Leben, auch wenn sie wie alle anderen meine Legasthenie nicht erkannte. Aber sie konnte die enorme innere Belastung, unter der ich all die Jahre litt, natürlich nicht ausgleichen. Dafür war die Zeit, die ich mit ihr zusammen verbrachte, zu kurz. Ich musste viel meiner Energie in meine Stressbewältigung investieren. Energie, die eigentlich für meinen Reifungsprozess wichtig gewesen wäre. Das eigentliche Problem ist hierbei nicht die Legasthenie an sich, sondern nicht darin erkannt worden zu sein, damit alleingelassen zu werden. Kinder, die solche Erfahrungen machen, völlig unabhängig davon, ob das nun mit einem Handicap zu tun hat oder mit etwas anderem, bilden wenig innere Sicherheit aus, sie ruhen nicht in sich. Leider kann Kindern und Jugendlichen so auch der Kontakt zu dem verloren gehen, was sie ausmacht. Auf der Schwelle zum Erwachsenwerden wird dieser Mangel oft sehr deutlich werden. Coolness als Masche ist eine der vielen Möglichkeiten, fehlende innere Stabilität zu überspielen.

Gleichzeitig kann Coolness gute und gesunde Schritte der Abgrenzung ermöglichen. Und Abgrenzung von all dem, was mich solange belastet hatte, war ein wichtiger und notwendiger Befreiungsschlag für mich. Dass ich dadurch etwas von meiner natürlichen Freude am Schauspiel einbüßte, war sekundär und mir damals ohnehin nicht bewusst. Glücklicherweise war mir das Leben – in nicht allzu ferner Zukunft – sehr zugeneigt und hat mir meinen Weg einfach vor die Füße gelegt.

SPRUNG INS KALTE WASSER

Wieder wohnte ich mit einem Mädchen aus der Schweiz auf dem Zimmer. Wie bei meiner ersten Gastfamilie. Dort war ich hochkant rausgeflogen. Der Vater des Hauses hatte uns beim Knutschen erwischt. Ein No-Go für die Eltern. Ohne anzuklopfen, war er in das Zimmer seines Sohnes gestürmt. Ich versuchte noch, mich unter der Bettdecke zu verstecken, doch das war verständlicherweise ein aussichtsloses Unterfangen. Mit strengem Ton hat er mich aus dem Raum geschickt und mich nach diesem Vorfall keines Blickes mehr gewürdigt. Zwei sich küssende Teenager lagen ganz offensichtlich außerhalb des Bereiches, der Zuwendung und Geborgenheit verdiente.

Am nächsten Tag eröffnete mir die Gastmutter den Wunsch, ich möge ausziehen, besser heute als morgen. Ich nahm die Veränderung tapfer hin. Ich hatte so viele unangenehme Umstände in meinem Leben erlebt, ich hatte gelernt, diese mit Tapferkeit über mich ergehen zu lassen. Also ein neues Haus, eine neue Familie. Auch in meinem neuen Zimmer bekamen als Erstes meine Spitzenschuhe einen guten Platz. Noch immer hing mein Herz am Ballett, dem ich mich bis zu meiner traurigen Aufgabe in Liebe gewidmet hatte. Das neue Zimmer war gemütlich. Das war nicht unwichtig, denn England ist England, es regnet viel.

Unsere Hausaufgaben machten wir nie ohne Madonna, Tee und die typischen englischen Biscuits, die man üblicherweise in den Tee tunkt. Meine Zimmergenossin und ich hatten häufiger Aufgaben als Zweierteam zu lösen. Einmal sollten wir ein Referat über einen bekannten Philosophen oder Theologen halten. Unsere Wahl fiel auf Albert Schweitzer.

Es gab für unsere Recherchen damals noch kein Internet, sondern nur die Schulbibliothek. Obwohl Legasthenikerin, übernahm ich wie selbstverständlich die Aufgabe, entsprechende Bücher zu besorgen. Ein Überbleibsel aus der schwierigen Zeit mit meiner Mutter, in der ich begonnen hatte, mich um alles zu kümmern. Auf dem Weg zur Bibliothek kam ich an „The Mansion" vorbei, dem großen englischen Herrenhaus auf dem Schulgelände, dem Sitz der Verwaltung. Es war vielleicht nicht so riesig, aber du kannst es in etwa vergleichen mit den monumentalen Gebäuden der „Harry Potter"-Filme. Natürlich gab es eine Ahnin aus dem 18. Jahrhundert, die als Geist mit einer flackernden Kerze und im Nachtgewand von Etage zu Etage wandelte. Das Gebäude übte immer eine magische Anziehungskraft auf mich aus und ich schlich mich hinein. Die Bücher konnten warten. Kaum war ich drinnen, begann meine Fantasie aufzublühen, und meine verschüttete Schauspiellust nahm die Gelegenheit wahr, zum Vorschein zu kommen. Ich wurde selbst zum Geist der alten Dame, schlich über die abgetretenen Stufen, huschte in den ein oder anderen Nebengang hinein, um mein Unwesen zu treiben, und vergaß die Zeit darüber. Eine fantastische Art und Weise des Trödelns.

Meine Zimmergenossin war faul und überließ die Vorbereitung des Referats sowie den Vortrag größtenteils mir. In meiner Erinnerung habe ich etwa drei Viertel meines Referats über ausschweifende Dekorationen, spekulative Interpretationen und aus der Luft gegriffene Ausschmückungen bestritten. Meine dramatische Lust stürzte sich vor allem auf die ungeheuerlichen Leiden der Leprakranken in Schweitzers Urwaldkrankenhaus Lambaréné, denen er seine Arbeit gewidmet hat. Ich weiß nicht mehr, was genau ich mir dazu vorstellte oder ausdachte, aber ich habe noch die angewiderten Gesichter meiner Mitschüler:innen im Kopf. Faulende Gliedmaßen und dergleichen waren sicherlich ein zentraler Bestandteil meines Vortrags. Im Zeugnis stand dann irgend so was wie: „Fiona geht nicht immer exakt mit Inhalten um, aber sie hat eine lebendige und eindrückliche Art, diese vorzutragen." Ich würde sagen, der „Gebrauch allgemeinen Wissens anstelle von Textinformation" – wie Wikipedia es ausdrückt – ist die perfekte Beschreibung für diese legasthenische Raffinesse.

Völlig überraschend bekam ich meine erste Fernsehrolle im zweiten Auslandsjahr. Ich war knappe 16. Dem Dreh ging kein offizielles Casting voraus, denn es handelte sich um eine Folge der Serie „Mit Leib und Seele", in der mein Vater eine Episodenhauptrolle neben Günter Strack spielte. Mein Vater hatte dem Regisseur zufällig von mir erzählt, und dieser entschloss sich spontan, mich zu besetzen. Ich sollte eine junge Schülerin spielen – ich glaube, sie hieß Sandra, deren älterer Bruder mit Drogen dealte. Eine emotional aufgeladene Figur. Die Drehzeit lag in den Sommerferien, sodass ich sowieso in Deutschland war. Alles passte und ich sagte sofort zu.

Ich bekam den Text in die Hand gedrückt und dann ging es los. Legasthenie hin oder her. Ich wurde ins kalte Wasser geworfen. Zugegeben, der Beruf lag zwar in der Familie, doch mein Vater hatte mich bis dahin nie dazu angehalten, ihm vor die Kamera zu folgen. Für ihn persönlich war die Schauspielerei immer ambivalent. Er hat diesen Beruf geliebt, doch er stand schon als Dreijähriger vor der Kamera. So war die Filmerei für ihn immer mit einer gewissen früh erlebten Last verknüpft. Deshalb hat er sich für mich meist etwas anderes gewünscht.

Bei diesem ersten Auftritt in der Filmwelt genoss ich viel Welpenschutz. Den brauchte ich auch, denn mein innerer Stress und die Angst zu versagen waren riesig. Ich war Anfängerin, mein Lampenfieber groß. Plötzlich war ich an einem professionellen Fernsehset, alles musste funktionieren, frühes Aufstehen, die Abläufe waren exakt getaktet.

Gleichzeitig erwachte die Schauspielerin in mir, die Blume, die ich schon in meiner Kindheit gepflegt hatte, erblühte. Ich genoss es, in diese emotionale Rolle einzutauchen. Von Anfang an hat mich die aufsteigende Freude am Ausdruck über all meine Ängste hinweggetragen. Überraschenderweise konnte ich wie selbstverständlich vor der Kamera stehen.

Hinter der Kamera war ich so unsicher, wie jeder andere Teenie es an meiner Stelle wohl auch gewesen wäre. Meine Kolleg:innen am Set betüdelten mich, was mir unglaublich guttat, aber eines weiß ich noch genau: Deutlich spürte ich eine erhöhte Anforderung zu funktionieren, wie ich es bisher nicht kannte.

Diese Zwischenstation kurz vor der zehnten Klasse war auf jeden Fall ein Wendepunkt in meinem Leben, das war nicht nur ein Ferienjob. Als die Sache im Kasten war, war ich zufrieden mit mir. Ich hatte viel Zuspruch erfahren, und es war ein gutes Gefühl, an einem richtig ernst zu nehmenden, erwachsenen Projekt beteiligt gewesen zu sein. Dadurch fühlte ich mich selbst ein Stück weit erwachsener.

Ich hatte Blut geleckt, so viel stand fest. Ich fühlte mich beschwingter und innerlich befreiter, aber zurück in East Sussex steuerte ich auf die Abschlussprüfungen zu. Und das wiederum verursachte eine Heidenangst in mir. Das Arbeiten war einfach für mich gewesen und hatte mir unheimlich Spaß gemacht, aber nun wieder Schule ...

Für das in England zu erwerbende General Certificate of Secondary Education hatte ich unter anderem eine schriftliche Prüfung in Biologie zu bestreiten.

Werden Legastheniker:innen nicht angemessen unterstützt, kann das bei vielen zu einer mehr oder wenig ausgeprägten Lernverweigerung führen: ein Trotzverhalten, das sie für Außenstehende manchmal dumm erscheinen lässt, aber so rein gar nichts über ihre Intelligenz aussagt. Letztlich ist dies nur ein reaktiver Schutzreflex, um den von außen kommenden Druck zu bewältigen. Dieser Reflex machte auch mir nun das Leben schwer.

Alle Themen für Bio wurden schriftlich erarbeitet und mir fehlte jeder Bezug dazu. Eigentlich hätte ich für die Prüfungsvorbereitung eine Lerngruppe gebraucht, um den Stoff gemeinsam zu erschließen. Alleine im Zimmer unternahm ich gar nicht erst den Versuch, mich an den Schreibtisch zu setzen. Statt zu büffeln, lief ich lieber zu einer meiner Freundinnen, die sehr ländlich wohnte, es war eine halbe Stunde Fußmarsch. Mein Weg führte an einer Schafweide vorbei und meine blühende Fantasie begann eine Geschichte zu spinnen. Diese drehte sich um ein verunglücktes Schaf, das mit seinem Kopf im Maschendraht feststeckte und jammernd blökte. Ich wurde zur Retterin, die versuchte, das arme Tier zu befreien, doch es gelang mir nicht ohne Werkzeug. In meiner fantastischen Tagträumerei rannte ich zu der Bäuerin, der die Herde gehörte, um Bescheid zu sagen. Selten klopfte jemand an ihre Tür, um ihr einen Vorfall mit ihren Schafen zu berichten. Sie hatte schon öfter Tiere verloren. Ihre Freude und Dankbarkeit darüber waren groß, spontan lud sie mich zum Tee ein. Ich hatte immerhin ihr Schaf gerettet! Ein schöner Traum.

Man findet immer Wege, sich seinen Trotz schönzureden. Ich ging völlig unvorbereitet, aber bestens im „Cyndi Lauper"-Style gekleidet, in die Prüfung. Dass sie mich an diesem Tag nicht nach Hause schicken konnten, damit ich mich umziehe – was schon ein paarmal vorgekommen war –, da der Zeitplan das nicht zuließ, war für mich ein kleiner Triumph, weil ich mich damit dezent aufdrängen konnte. Ich gönnte mir diese Portion Aufmüpfigkeit. Für einen kurzen Moment fühlte ich mich spitzenmäßig, dann scheiterte ich kolossal. Ich musste mein Prüfungsblatt blütenweiß zurückgeben – und fiel durch: fail!

Jetzt hing alles von meinem zweiten Prüfungsfach ab: Kunst. Welch ein Glück für mich! Das hieß Freude, freie Entfaltung, Kreativität. Die Aufgabe bestand darin, die kulturellen Unterschiede und Verbindungen zwischen den fernöstlichen und den westlichen Gesellschaften aufzuzeigen. Ich machte dies anhand der verschiedenen Ernährungsgewohnheiten deutlich. Das Besondere an der Prüfung war, dass wir zwei Wochen Vorbereitungszeit hatten, um uns mit dem Thema zu befassen und Skizzen anzufertigen, die ebenfalls mitbewertet wurden. Ich fertigte unzählige Blätter an, von Sushi, von gesunder asiatischer Kost, von eleganten Essstäbchen. Ich übte den Schwung des Coca-Cola-Schriftzuges, skizzierte fettige Burger. Im Hinterkopf hatte ich schon damals die ungesunde westliche Ernährungsweise. Am Tag der finalen Prüfung war ich bestens vorbereitet, ich hatte „gelernt". Die Skizzen waren lediglich die anregenden Vorlagen, jetzt ging es um das große Bild, in meinem Fall die Bilder. Ich nutzte zwei große Papierbögen, zwei Staffeleien – eine Seite knallig und grob für den Fast-Food-Westen, die andere Seite mit detailgetreuen feinen Linien in zarten Pastelltönen für die bewusstere östliche Ernährung. Passed! – ich erhielt ein „very good".

In meinen beiden mündlichen Prüfungsfächern schloss ich mit sufficient – ausreichend ab, was mir völlig genügte.

Wenn ich heute auf meine Schulzeit zurückblicke, ist es mir immer noch rätselhaft, wie ich das alles alleine schaffen konnte. Manchmal erscheint es mir auch wie ein kleines Wunder. Wie eine kleine Geschichte über die Kraft des Lebens, die sich nicht unterkriegen lässt. Als würde eine unsichtbare Hand am Leben mitwirken. So erkläre ich mir zumindest, wie es mir gelang, ohne Unterstützung mit meinem Handicap bis zum Realschulabschluss zu kommen. Ich hatte viele Schrammen und auch Narben davongetragen. Wunden, die noch darauf warteten, wieder zu heilen. Immerhin war ich nicht untergegangen, als hätte es doch ein Händchen gegeben, das mich hielt.

Reifeprüfung

NESTHÄKCHEN

Die Fingernägel meiner Agentin waren wie immer golden lackiert, das flammend-rot gelockte Haar leuchtete auf ihrem Kopf, zu ihren Füßen die beiden kleinen Chihuahua, die stets um sie waren. Sie war die Inhaberin einer renommierten Schauspielagentur in München und hatte mich nach meiner Rückkehr aus England aufgenommen. Jetzt stand ich aufgeregt in einem Wohnzimmer, das entweder ihres war, ihre riesige Altbauwohnung war gleichzeitig ihre Agentur, oder aber das der Casterin, so genau erinnere ich mich daran nicht mehr. In jedem Fall hatte sie Volker Schlöndorff in dieses familiäre Ambiente eingeladen. Er suchte eine junge Schauspielerin für die Rolle der Sabeth in seinem neuen Filmprojekt „Homo Faber". Ich erfüllte perfekt die Anforderungen des Rollenprofils, eine außergewöhnliche Chance für mich, gleich zu Beginn meiner Karriere. Ein Hollywoodfilm, ich würde an der Seite von Sam Shepard und Barbara Sukowa drehen.

Ich spielte vor und alle Anwesenden waren durchaus angetan. Doch die Rolle erforderte einen gewissen Sex-Appeal. Ich war noch keine 18, fühlte mich eher wie 16 und konnte die geforderten Lolita-Qualitäten noch nicht zur Verfügung stellen. Die drei Jahre ältere Julie Delpy sollte die Rolle erhalten. Rückblickend war es die härteste Enttäuschung meiner Laufbahn. Ich hatte Ehrgeiz, und die Sabeth zu spielen, wäre ungemein reizvoll gewesen. In der Folge vergrub ich mich in meinen altbekannten Selbstbestrafungen, redete mir ein, nicht gut genug zu sein, sah meine Versagensängste bestätigt. Es brauchte etwas Zeit, die traurige Enttäuschung hinter mir zu lassen. Aber ich war ja tapfer. Ich stand wieder auf und machte weiter. Es kamen andere Drehs, viele sogar, kein Hollywood, aber ich konnte verwirklichen, was mir schon immer Spaß gemacht und gebracht hatte.

Trotz des anfänglichen Dämpfers war mein Berufsstart eines der größten Geschenke meines Lebens. Mein Vater hatte den Kontakt zur Agentur hergestellt und Hanni Lentz, die Agentin, hatte sofort einen kleinen Narren an mir gefressen und ich an ihr. Sie war eine durch und durch einzigartige Erscheinung, hat ihre kleinen Verrücktheiten offen zur Schau gestellt, lief in ihren extravaganten Kleidern, die sie sich häufig nähen ließ, durch ihre Agentur. In all der künstlerischen Exzentrik schlug ein warmes und liebevolles Herz. VHS-Kassetten stapelten sich in riesigen Türmen, Videos der Schauspieler:innen, die sie betreute. Die Wände gepflastert mit Bildern deutscher Filmgrößen. Sie kannte sie alle und viele waren in ihrer Agentur. Dort war ich hineingestolpert, ehe ich auch nur Zeit fand, darüber nachzudenken, in welche Richtung mein Leben gehen sollte. Ich war ihr Nesthäkchen und sie war für mich eine echte Mentorin und frühe Förderin. Sie strahlte Weltgewandtheit aus, als wäre Hollywood nicht weit weg. Wenn ich zu Gast in ihren Räumen war, fühlte ich mich immer etwas eingeschüchtert, gleichzeitig genoss ich das Flair des durch und durch künstlerischen Ambiente. Oft hatte ich von Künstlern geträumt, mir vorgestellt, wie sie wohl lebten. Und plötzlich stand ich, kaum erwachsen, in meinen wahrgewordenen Träumen. Ich fühlte mich ein wenig wie Aschenputtel am Königshof.

Hanni war überzeugt davon, dass ich Karriere mache, und war froh, dass ich nicht für vier Jahre Schauspielschule buchstäblich von der Bildfläche verschwand. Sie setzte auf meine Natürlichkeit. Ich würde mir durch die Praxis schon alles aneignen, was ich für die Schauspielerei bräuchte.

Sie sollte recht behalten. Mit jeder neuen Rolle sammelte sich ein bisschen mehr Erfahrung an. In den Drehpausen nahm ich trotzdem private Trainingsstunden bei Schauspiellehrer:innen, um an ganz bestimmten Punkten gezielt zu arbeiten. Wenn ich Zeit hatte, besuchte ich verschiedene Rollenspielkurse und Improvisationsworkshops, Pantomime, nahm Reitunterricht, Tanzunterricht in einem Dutzend Stilen und konzentrierte mich vor allem auf professionelle Sprecherziehung. Mein Hauptstudienfach blieb „learning by doing".

Das eigentliche Geschenk meiner ersten beruflichen Schritte war jedoch nicht die Agentur, obwohl sie ein fantastisches Sprungbrett war und ich ohne Hanni wahrscheinlich nicht stehen würde, wo ich heute bin. Sie hat den Stein ins Rollen gebracht. Die Schauspielerei an sich war der eigentliche Segen. Ich hatte zwar meinen Schulabschluss in der Tasche, doch hätte ich mit meinen immer noch ausgeprägten Lese- und vor allem auch Rechtschreibschwächen in vielen anderen beruflichen Kontexten nicht bestehen können. Die Drehbücher konnte ich mir in aller Ruhe erarbeiten. Ich brauchte lediglich mehr Zeit zum Lesen, und die hatte ich zur Vorbereitung auf jeden Film. Vor allem machte es Spaß. Die Texte für meine Rollen waren meine neuen „Groschenromane", und ich war äußerst diszipliniert, bereitete mich für jeden Dreh bis ins kleinste Detail vor.

Meine Versagensängste hatten zu einem übertriebenen Perfektionismus geführt. Ich wollte in jedem Fall vermeiden,

Fehler zu machen. In vielen anderen Berufen hätte ich wohl echte Schwierigkeiten gehabt. Meine Rechtschreibung war eine Katastrophe. Ich hätte unmöglich Texte verfassen oder beruflichen Anforderungen entsprechen können, die verlangten schnell zu lesen, also in der normalen Geschwindigkeit nicht-legasthenischer Menschen. Viele meiner Mitschüler:innen waren in der Waldorfschule aufgeblüht, hatten dort eine Vorbereitung aufs Leben erfahren, die nicht besser hätte sein können. Für mich war diese Art der Beschulung ein Fiasko gewesen. In meinen Lese- und Rechtschreibefähigkeiten war ich nicht aufs Leben vorbereitet. Für meinen handgeflochtenen Korb wurde ich gelobt – ich benutze ihn tatsächlich noch heute –, doch damit konnte ich nicht nach einem höheren Abschluss streben. Ich hatte immer auch ein wenig davon geträumt zu studieren, doch schon der nächste Schritt dorthin, das Abitur, hätte einer enormen Kraftanstrengung bedurft. So viel hatte ich in zehn Jahren Schule nicht gelernt, es wäre ein sehr steiniger Weg geworden. Ohne gezielte Unterstützung und Förderung wäre ich durchs Netz gefallen. Zu meinem großen Glück war ich überraschend weich gelandet. Damals war ich mir dessen nicht so bewusst. Jung und unbedarft stand ich staunend vor der großen Welt, die sich mir eröffnete. Heute betrachte ich diese Umstände mit bescheidener Demut. Beruflich blieben mir viele Kämpfe erspart, dieser Weg wurde mir einfach vor meine Füße gelegt. Meine Lebenskämpfe führte ich innerlich. Mit meinem konstanten Gefühl der Minderwertigkeit, meinem überhöhten Anspruch an mich selbst, meinem Perfektionismus, meinen Versagensängsten. Und last but not least wollte ich selbstverständlich nicht bei meinen Schwächen ertappt werden. Ich war Meisterin darin, mich im stillen Kämmerlein auf meine Rollen vorzubereiten.

Leseproben, die eine Art erste Probe sind, waren mir jedoch in den Anfangsjahren ein Graus. Die Schauspieler:innen treffen sich mit der Regie, oft ist auch noch der Zuständige für das Skript dabei. Das Drehbuch wird Wort für Wort gemeinsam gelesen und durchgearbeitet. Ein Vorgehen, das dazu dient zu prüfen, ob die Texte der einzelnen Rollen gut ineinandergreifen. Auch bietet es die Möglichkeit, noch kleine Veränderungen vorzunehmen. Intensive Leseproben können einen ganzen Tag andauern. Meine Kolleg:innen konnten bei diesen Treffen ihr Drehbuch in die Hand nehmen und loslegen. Natürlich waren sie wie ich vorbereitet, jeder wusste um seine Rolle Bescheid, jeder hatte sich mit der Geschichte auseinandergesetzt. Doch ab diesem Punkt trennten sich unsere Wege. Meine Kolleg:innen haben während der Leseprobe flüssig ihre Textstellen aus dem Drehbuch abgelesen. Ein ganz normaler Vorgang, wenn man flüssig vorlesen kann. Ich war in diesen Runden wahrscheinlich die Einzige, die ihren Text immer schon größtenteils auswendig konnte. Keinesfalls wollte ich beim Vorlesen ins Stocken kommen oder durch Langsamkeit auffallen. Sich nur keine Blöße geben und keinen Fehler machen. Ich war immer bestens vorbereitet. Das wiederum hatte seine ganz eigenen Tücken. Da ich mich ausgiebiger mit meinem Text beschäftigt hatte, war ich mehr in die Rolle eingetaucht, die ich zu spielen hatte. Die Worte gingen in mir schon eine Verbindung mit den Gefühlen und der Energie der Figur ein. Nun musste ich in einem doppelten Sinne zur Schauspielerin werden. Wenn ich an der Reihe war, las ich meinen Text auf eine Art, als wäre ich noch nicht so innig vertraut damit, denn auch das wäre auffällig gewesen. Ich tat so, als würde ich ihn vorlesen wie alle anderen. Es war ja erst die Leseprobe, ich hingegen war schon drehbereit.

Ich erinnere mich, wie ich bei einem meiner Drehs morgens bei Ankunft am Set einen Kollegen traf. Er sah ziemlich unausgeschlafen aus, und ich wollte schon fragen, ob es eine lange Party gewesen sei. Doch ich kam nicht dazu. Mit einer lässigen Geste strich er sich durch die Haare und prustete mir entgegen: „Shit, shit! Ich muss noch schnell das Drehbuch lesen und meinen Text lernen!" Innerlich fiel mir die Kinnlade runter. So läuft das, wenn man „normal" ist. Es konnte so einfach sein. Hastig verschwand mein Kollege in seinem Quartier. Neidisch und ein wenig eingeschüchtert blickte ich ihm hinterher. Meinen Text zu lernen war einfach, es war ein Leichtes für mich, ihn im Kopf zu behalten. Doch ihn unter solch einem Zeitdruck zu lesen, davon war ich noch Jahre entfernt.

JOBBEN

Die meisten wissen im Grunde nicht, dass nur weit unter zehn Prozent aller Schauspieler:innen, wie so viele im Kulturbetrieb, von ihrer Arbeit auch leben können. Es könnte anders wirken – wer im Fernsehen ist, verdient auch gut. Aber die wenigsten Schauspieler:innen sind über das ganze Jahr ausgebucht, viele müssen nebenbei jobben oder sind sogar auf staatliche Unterstützung angewiesen. Auch ich hatte Durststrecken. Ich übernahm verschiedene Jobs, die mir größtenteils echte Freude bereiteten. So waren auch die drehfreien Zeiten kein Jammertal. Meine Passion für die Schauspielerei war Wirklichkeit geworden, ein Teil von mir im Leben angekommen. Von der Trennung meiner Eltern bis zum Abschluss meiner Schulzeit hatte ich eine Zeit erleben müssen, die mit einem Übermaß an inneren und äußeren Schwierigkeiten gespickt war. Nun hatten glückliche Fügungen mich auf die richtige Fährte gebracht.

Die Jobs, die ich früher übernahm, wenn das Jahr nicht ausgefüllt war mit Drehs, ließen mich interessante andere Erfahrungen sammeln. Einmal war ich für ein paar Monate in einem Friseursalon angestellt, um den Kund:innen die Haare zu waschen. Der Laden lag unterhalb meiner Wohnung und mutig war ich hineinmarschiert, um zu fragen, ob sie eine Aushilfe bräuchten. Kurze Zeit später war ich im Einsatz. Es wurde viel gelacht und geschwatzt, es war herrlich. Meine soziale Ader war angesprochen. Wenn es um Menschen geht, gibt es in mir keine Unterschiede. Es ist egal, ob ich mich an einem Filmset aufhalte, im Abendkleid auf einer Gala, im Supermarkt oder eben im Friseursalon. Menschen sind überall Menschen.

Im Krankenhaus Bethanien in Hamburg-Eppendorf arbeitete ich eine Zeit lang auf der Kranken- und Pflegestation für alte Menschen. Meine Mutter hatte mir dort eine ehrenamtliche Praktikumsstelle vermittelt. In der Probewoche erhielt ich eine generelle Einführung in die Abläufe: Fiebermessen, Essen austeilen, lüften, desinfizieren, beim Waschen helfen und den Toilettengang begleiten. Für mich war dies eine Zeit bewegender und intimer Erfahrungen. Menschen bei ihrer Notdurft zu begleiten und zu unterstützen, weil sie das alleine nicht mehr konnten, hat mich als junge Frau nachhaltig berührt. Beispielsweise eine alte Dame, mager und ausgezehrt, abzustützen, ihr auf die Toilettenschüssel zu helfen und ihr im Anschluss den Hintern zu säubern, das waren häufig Momente von purer Fragilität. Die betagten und kranken Senioren hatten keine Wahl mehr. Sie waren hilfsbedürftig und auf andere angewiesen. Für viele war es sicher nicht leicht, ihre Würde aufrechtzuerhalten. Insofern war dieses Praktikum für mich mehr als ein Job zwischendurch gewesen. Danach hatte ich tatsächlich eine Zeit lang mit dem Gedanken gespielt, noch eine zusätzliche Ausbildung als Krankenschwester zu machen. Als Erweiterung meines Hauptstudiengangs „learning by doing“.

Bei einer nächsten Tätigkeit, die nun wieder unter die Kategorie Job fällt, sollte ich hart an meine Grenzen kommen. Diesmal jedoch nicht aufgrund meiner legasthenischen Schwächen. Die Waldorfschule hatte in meinem Fall ganze Arbeit geleistet und mich auch im Umgang mit Zahlen nicht gut unterstützt. Im Kopfrechnen war ich eine komplette Niete. Ich war in einer sehr beliebten Bäckerei in der Hamburger Innenstadt untergekommen. Der Arbeitsbeginn war ausgesprochen früh, eine zusätzliche Härte des Jobs. Aber ich war jung und stand schon zeitig am Morgen relativ frisch hinter der Verkaufstheke. Am ersten Tag wurde ich kurz angelernt, im Wesentlichen ging es darum, die einzige Kasse korrekt zu bedienen. Das hatte ich schnell drauf, ein Kinderspiel. Ein bisschen Verkaufen und zur Mittagszeit hinten zum Brötchenschmieren. Alles musste schnell gehen, aber das kannte ich vom Film. Auch dort gab es immer wieder Momente, in denen es drängte.

Am nächsten Tag sollte ich vorne mit dabei sein. Bis zur Mittagszeit war die Arbeit leicht zu bewältigen. Ich hatte mir den Platz an der Kasse gesichert und ließ diese für mich rechnen. Die Kontakte mit den Kunden, die kamen, um Gebäck zu kaufen oder ein Brot, waren kurzweilig und nett. Die Bäckerei war bekannt für ihre lecker belegten Brötchen und zur Mittagszeit brach ein zunehmend stärker werdender Ansturm über uns herein. Im hinteren Bereich des Ladens ging der Bäcker seiner Profession nach, vorne waren wir zu zweit, um die Kundschaft, die einer orkanartigen Böe gleich in den Laden drängte, in den Griff zu bekommen. Es bildeten sich Schlangen bis weit auf die Straße, denn die Bäckerei war klein. Und ich mittendrin in diesem Chaos. So lange ich an der Kasse war, konnte ich standhalten. Doch meine Kollegin konnte unter dem Ansturm auch nicht mehr permanent ohne Kasse arbeiten, besser gesagt, sie wollte es nicht. Es kam der Moment, an dem sie mich zur Seite schob, um mir für eine Weile die Kopfrechnerei zu überlassen. Ab diesem Moment wurde es schwierig. „Ja, bitte, was hätten Sie gerne?“, „Das Roggenbrot, ah nur ein halbes. Dazu zehn Brötchen. Ach, noch das Brot im Angebot mit dazu“ – in meinem Kopf ratterten die Zahlen. „Ja gerne, noch ein Franzbrötchen für die Kleine.“ Das süße Mädchen an der Hand seiner Mutter schenkte mir ihr schönstes Lächeln. In meinem Kopf flogen die Zahlen hin und her. Doch hinter der Mutter und ihrem zarten Mädchen standen schon die Männer im Anzug und die Frauen im Kostüm. Alle aus den umliegenden Büros, alle hungrig, und keiner von ihnen hatte viel Zeit. Ihre Gesichter strahlten alles andere als Gelassenheit aus. In meinem Kopf tobte derselbe Sturm wie im Laden. Das blieb natürlich nicht lange unbemerkt. Ich hatte gelernt, vieles zu kaschieren und auch zu meistern, doch hier war ich mit meinem Latein am Ende. Meine einzige Rettung wäre die Kasse gewesen, doch meine Kollegin weigerte sich, diejenige zu sein, die andauernd ohne Kasse arbeitet. Nach zwei oder drei Tagen hat sie mich in der Mittagszeit kurzerhand wieder nach hinten zum Brötchenschmieren geschickt. Darin war ich gut und schnell und den Sprüchen des Bäckermeisters ausgesetzt: „Na, die feine Schauspielerin, bekommt sie es nicht gebacken?"

SCHATTENSEITEN

Diese frühen Jahre als Schauspielerin waren eine zwiespältige Zeit. Ja, ein Teil von mir war angekommen. Die Showtime war nicht mehr der Traum eines kleinen Mädchens. Im übertragenen Sinne hielt ich nun wirklich das Mikro in der Hand, die Kamera auf mich gerichtet. Auch wenn meine frühen selbstgeschriebenen kleinen Stücke, die ich vor meiner Mutter, meiner Oma, meinem Vater aufgeführt hatte, natürlich ihren ganz eigenen Charme behielten, waren die Rollen, in die ich nun schlüpfen durfte, mit nichts aus meinem bisherigen Leben vergleichbar. Ich empfand es als Gnade, dass meine Träume in Erfüllung gingen.

Gleichzeitig machten mir meine Prägungen und Verhaltensmuster, die ich entwickeln musste, um mich alleine durchzuboxen, immer mehr zu schaffen. Ich wollte unbedingt gefallen. Perfekt zu funktionieren war eine meiner allerhöchsten Prioritäten.

Tiefenentspannung und Gelassenheit sahen definitiv anders aus. Ausgerechnet ich war in einem Arbeitsumfeld gelandet, in dem permanenter Druck herrschte. Um am Filmset nicht etwa als Versagerin „entlarvt“ zu werden, stellte ich einen übermäßigen Leistungsanspruch an mich selbst. Stetig hoffte ich auf Lob, auf dessen Schwingen ich dann für eine gewisse Zeit fliegen konnte.

Heute schaue ich mit viel Milde auf diese Lebensphase, mit viel Verständnis für mich selbst. Ich weiß mittlerweile, warum ich mich damals so abmühte. Ich hatte die Erfahrungen meiner Schulzeit noch lange nicht abgeschüttelt. Als Kinder und Jugendliche machen wir in unserer Schulzeit große Entwicklungsschritte. Wir entwickeln uns in einen größeren sozialen Kontext hinein. Für mich waren diese Entwicklungsschritte aufs Engste mit meiner Legasthenie verbunden. Innerlich unerkannt mit meinen legasthenischen Schwächen zu ringen, mit Verunsicherung und Schamgefühlen, mit den Befürchtungen zu scheitern oder dumm zu sein. Das war ein wesentlicher Teil meiner Erfahrungen mit größeren Gruppen. Der enorme Druck, der mit all dem verknüpft war, war noch längst nicht von mir gewichen. Er umgab mich immer wieder wie eine Zwangsjacke, die aus Leistung gewebt war, aus „ich muss perfekt sein“, aus „ich darf nicht entlarvt werden“. Das war das Garn, welches mich fest gefangen hielt.

Nur vor der Kamera war ich eigenartigerweise ziemlich frei. Zumindest wenn es gut lief, was meist der Fall war, schließlich war ich immer perfekt vorbereitet. Hier konnte ich ungehemmt aus meinem emotionalen Reichtum schöpfen. Keine Enge, kein Zwang, keine Einschränkungen, als würde ich die Erlaubnis bekommen, mich gefühlsmäßig auszuleben. Das ganze Kaleidoskop meiner Gefühle durfte aufblühen. In diesen Momenten fühlte ich mich vollständiger, mehr mit mir verbunden.

Ich war Teil einer Clique junger, aufstrebender Schauspieler:innen. Wir bedienten jedes Klischee, zumindest die anderen, denn auch hier war es für mich eher ein mich Abmühen, der Versuch mitzuhalten. Es ging um diese wilde Mischung, die man gerne mit Künstlern verbindet – um Partys, Flirten, Sex, Alkohol, die ein oder andere Droge. Kunst und Exzess.

Ich war für so ein Leben eigentlich nicht geschaffen. Ich hatte zwar diese ungestüme, lebendige Seite in mir, zumindest wenn sie nicht von der erworbenen Zwangsjacke in Schach gehalten wurde, aber ich war eben auch ein sehr feines und zartes Wesen. Eine Seite in mir brauchte nach wie vor das Warmwasserbecken. Doch ich war jung, ich wollte dazugehören. Was macht man nicht alles, um dazuzugehören. Ich tat häufig so als ob, gab mich lockerer, als ich war, kaschierte meine Ernsthaftigkeit.

Instinktiv wusste ich, dass ich von Drogen die Finger lassen musste. Aber ich konnte ja zumindest mal den Versuch unternehmen, hemmungslos zu trinken. Mit damaligen Kolleg:innen und Freund:innen habe ich mich dann eines Abends an einer Hotelbar nach allen Regeln der Kunst mit Tequila betrunken. Die Wahrheit ist, wir haben alle richtig gesoffen.

Mein Kater am nächsten Tag war ... na ja, wahrscheinlich hat noch nie ein Mensch einen solchen Kater gehabt. Ich litt. Jetzt wurde der Unterschied zu meinen Freund:innen und Kolleg:innen deutlich. Ihnen ging es nicht besser als mir, aber sie konnten immer noch ohne Probleme vor der Kamera stehen. Sie konnten das einfach so aus dem Ärmel schütteln. Ich jedoch war völlig aus dem Konzept. Meine innere Architektur war einfach zu fragil. Ich musste wach und klar sein, um meine damals noch bestehenden strukturellen Schwächen auszugleichen. Ich hatte Texthänger um Texthänger. Das Schlimmste, was einem Schauspieler passieren kann. Und für mich nochmals potenziert. Jetzt würde es passieren. Jetzt würden es alle erkennen, wie dumm und unfähig ich war. Jetzt würde ich entlarvt werden. Alle sind still, alle schauen auf mich, und ich mache einen Fehler nach dem anderen. Das wird das Ende meiner Karriere sein. Auf meinem Grabstein wird stehen: „Jung ist sie gescheitert".

Wir haben an diesem Tag alles in den Kasten bekommen, ich habe überraschenderweise überlebt und offensichtlich hatte meine Karriere kein abruptes Ende.

Tequila habe ich für lange Zeit gemieden, übermäßiges Trinken überhaupt. Ich konnte mir das nicht leisten, und es hat meiner zarten Seite nicht entsprochen. Ich musste mich damit abfinden, die „Streberin" zu sein. Nicht ganz so cool wie die anderen, obwohl ich gerne so gewesen wäre. Ich hatte mein Selbstverständnis noch nicht gefunden.

Ca. 40 Prozent aller Schüler:innen mit Legasthenie entwickeln psychosomatische Folgeerkrankungen, da sie dem Leidensdruck in der Schule nicht gewachsen sind. Sie haben auch Beeinträchtigungen in der Persönlichkeitsentwicklung, da sie immer glauben, nicht gut genug zu sein. Unter Versagensängsten und Minderwertigkeitsgefühlen leiden auch noch viele Erwachsene (aus: „BVL – Bundesverband Legasthenie & Dyskalkulie“).

SCHOCK

Am 3. Januar 1995 wurde meine Mutter völlig überraschend aus dem Leben gerissen. Ein unentdecktes Aneurysma in ihrem Gehirn war geplatzt.

In diesem Winter hatte ich ein Engagement am Theater, es war meine erste Komödie: Othello darf nicht platzen. Es waren 50 Vorstellungen en suite geplant, das heißt 50 Vorstellungen am Stück im selben Haus. Am 3. Januar 1995 hatten wir unsere 15. Aufführung. Ich stand ahnungslos auf der Bühne, während meine Mutter ins Krankenhaus Altona eingeliefert wurde. Nach der Vorstellung kam mein damaliger Freund in die Garderobe, ich war gerade beim Abschminken. Sofort sah ich in seinen Augen, dass etwas Schlimmes passiert sein musste. Er hatte noch nicht alle Informationen, wusste nur, dass meine Mutter auf der Intensivstation lag. Mein Vater war ebenfalls informiert und auf dem Weg zu uns, um uns abzuholen. Auf ihn zu warten, das waren die allerschlimmsten Momente. Ich war völlig außer mir. Immer wieder habe ich meinen Freund gefragt, was mit meiner Mutter sei. Er konnte mir natürlich auch nicht mehr sagen als schon in der Garderobe. Ich bin vor Verzweiflung durchgedreht. Meine geliebte Mutter. Ein Katastrophenbild nach dem anderen schoss mir durch den Kopf.

Endlich kam mein Vater. In der Klinik bat uns der zuständige Oberarzt in ein Nebenzimmer. Mir zugewandt teilte er mir mit, dass meine Mutter bereits hirntot war. Für mich war alles irreal, als wäre ich Teil einer Filmszene, die nichts mit dem Leben zu tun hatte. Meine Mutter hing nur noch an Maschinen. Diese hielten ihr Herz am Pumpen, sie wurde künstlich beatmet, doch sie würde nie wieder lebendig werden.

Mir entglitt alles. Ich tigerte wie ein gehetztes Tier im Raum umher, ein völlig unkontrollierbarer Bewegungsdrang, der über mich gekommen war. Mein Vater wollte mich beruhigen. In seiner eigenen Verzweiflung versuchte er, mich festzuhalten und einzufangen. Einzig mein Freund behielt die Ruhe. Das hatte ihn schon immer ausgezeichnet, dafür liebte ich ihn ab der ersten Sekunde. Er sagte zu meinem Vater: „Lass sie." Das war meine Chance. Ich musste raus! Ich lief wie besessen und nach Atem ringend die Treppen hinab. Vor dem Gebäude rannte ich auf eine Wiese, fiel auf die Knie und betete: „Don't leave me, Mom!" Gefühlte Stunden hockte ich verloren auf dem Grünstreifen, der für mich ein dunkler Abgrund war. Irgendwann kam mein Freund und gesellte sich zu mir. Eine weitere Ewigkeit verging, bis ich etwas zur Besinnung kam. Dann streckte er mir seine Hand entgegen und flüsterte: „Lass uns nach Hause gehen." In dieser Nacht – in meinem 22. Lebensjahr – ging ich durch die Hölle, es ist bis heute der schlimmste Tag meines Lebens.

In den frühen Morgenstunden, als ich völlig entkräftet war, setzte sich mein Freund dicht zu mir und bat mich liebevoll und doch auch eindringlich, darüber nachzudenken, ob ich mich von meiner Mutter verabschieden wolle. Es bliebe nur noch wenig Zeit, bis ihr Herz stillstehen würde. Ich stand vor der schwersten Entscheidung meines Lebens. Ich war im Schock und befürchtete am Anblick meiner toten Mutter zu zerbrechen. Trotz all des unerfüllten Nähebedürfnisses war sie mir doch der allerinnigste und naheste Mensch in meinem Leben. Ich liebte sie über alles. Wie sollte ich sie an diesen Maschinen hängend sehen? Schon wieder, nur diesmal wäre es endgültig. Diesmal würde sie sich nicht wieder aus dem Bett erheben.

Wir fuhren zurück in die Klinik, als es draußen hell wurde. Überraschenderweise war mein Vater bereits bei meiner Mutter, nicht ihr aktueller Ehemann. Es hatte ihn unausweichlich an ihr Sterbebett gezogen, obwohl er und meine Mutter seit ihrer Trennung praktisch keinen Kontakt mehr hatten. Als ich zittrig auf das Krankenzimmer zulief, kam eine Schwester heraus und teilte mir leise mit, dass das Herz meiner Mutter in diesen Augenblicken aufhörte zu schlagen. Ich blieb wie angewurzelt stehen, es war mir unmöglich hineinzugehen. Ich konnte dieser Tatsache nicht ins Auge blicken. Wir fuhren wieder nach Hause.

Mein Vater saß am Bett meiner Mutter und hielt ihre Hand, als sie ihren letzten Atemzug nahm. Er hat mir davon berichten können, wie friedlich sie in ihrem Sterben aussah. Es hat mich lange danach immer wieder getröstet, dass meine Eltern am Ende voneinander Abschied nehmen konnten. Ich bin fest davon überzeugt, dass meine Mutter ihm in diesem Augenblick vergeben hat und dies auch eine Befreiung für sein Herz war. Für mich fühlte es sich an, als würde sich ein Kreis schließen. Ich glaube, dass die meisten Trennungskinder diese Sehnsucht in sich tragen, ihre Eltern wieder vereint zu erleben.

Othello darf nicht platzen – da war noch was. Am Abend sollte die 16. Vorstellung stattfinden. 600 Zuschauer:innen, die Karten erworben hatten. Skurrilerweise ging es auch in dem Stück darum, dass eine Vorstellung nicht platzen darf. Das Ensemble stand abends noch bis zum Schluss am Bühneneingang und wartete auf mich, die weibliche Hauptrolle. Das gehört zu den Härten des Berufs. Ein älterer Kollege ließ mich wissen: „The show must go on!“ Doch ich war mit meinen Nerven am Ende. Ich konnte nicht spielen. Viele meiner Kolleg:innen waren voller Anteilnahme, bei manchen Kolleg:innen war ich unten durch! Es war in gewissem Sinne eine herbe Niederlage, und ich hatte weder die Reife noch die Kraft, das zu meistern. Das Theater musste Ersatz finden, ich brauchte Zeit, um den viel zu frühen Verlust meiner Mutter zu betrauern.

Abschied und Aufblühen

MOTHER OCEAN

Der Blick über den Pazifischen Ozean tat meiner trauernden Seele gut. Ich konnte meine Augen über die endlose glitzernde Weite schweifen lassen. Wasser, einfach nur Wasser bis an den entfernten Horizont. Dies war seit ein paar Tagen my special place. Eine etwas ausgesetzte Felsnase, die gut erreichbar aus den Klippen hervorragte. Sie lag am Rande des weitläufigen Areals des Esalen-Instituts an der Westküste Amerikas, eines freien Zentrums für Persönlichkeitsentwicklung. Mein Freund war der Initiator für diese Reise gewesen. Wir hatten diesen Ort schon einmal besucht. Ein Jahr zuvor, als die Welt für mich noch nicht aus den Fugen geraten war. Er hatte damals gesagt: „Wenn einmal irgendetwas in unserem Leben passiert, mit dem wir nur schwer klarkommen, dann fahren wir wieder hierher." Wer hätte gedacht, dass das so schnell passieren sollte. Hamburg war unerträglich geworden. Ich musste raus. Und vor zwölf Monaten hatten wir diesen Platz als ein kleines Paradies erlebt.

Esalen war besonders. Nicht nur wegen des heilsamen therapeutischen Angebots. Heutzutage werden dort Seminare und Workshops in Themenbereichen wie Kunst, Ökopsychologie, Gesundheit, integrales Denken, Friedensforschung, Massage, Tanz, Mythen, philosophische Untersuchungen, Körpertherapie, spirituelle Studien, Transpersonale Psychologie, Wildnis, Yoga und Achtsamkeit angeboten. Es wurde 1962 gegründet und war von Anbeginn ein Schmelztiegel für progressive therapeutische Ansätze und neue menschlichere Formen des Zusammenlebens. Eine Vielzahl bekannter Persönlichkeiten des geistigen und kulturellen Lebens aus der ganzen Welt und Begründer therapeutischer Methoden hatte dort gelehrt oder an Workshops und Kongressen teilgenommen, etwa Joan Baez, Fritz Perls, Ida Rolf, Alexander Lowen, Virginia Satir, Aldous Huxley, Stanislav Grof. Nur ein kleiner Ausschnitt vieler, vieler anderer Bekanntheiten, zumindest aus der Szene derer, die an menschlichem Wachstum interessiert waren.

Dazu kam die einmalige Lage in Big Sur an der kalifornischen Westküste. Ein weitläufiges Gelände, mit eigener kleiner Landwirtschaft und größtenteils einfachen, aber gemütlichen Unterkünften für die Teilnehmer:innen all der verschiedenen Seminare zur Persönlichkeitsentwicklung. Heiße Quellen gab es dort, die natürliche Pools speisten, die schon die indigenen Stämme dieser Region zur Erholung und für heilige Rituale genutzt hatten. Dieser Ort war ein wahres Juwel, direkt oberhalb imposanter Klippen, an die seit Jahrmillionen der Pazifik brandete. Hier hatte ich meinen besonderen Platz gefunden.

Der jähe Verlust hatte meine Brust eng werden lassen, eine Klaue lag um mein Herz, nicht bereit, es wieder freizugeben. Die letzten zwei Monate hatte ich in Hamburg und in England verbracht, dort wurde meine Mutter begraben. England war ein kleiner Lichtblick gewesen, ich konnte mich mit den Wurzeln meiner Mutter verbinden, ihre Sprache sprechen. Ich habe ihre alte Schule besucht und etliche andere Erinnerungsplätze. Es gab viel englischen Tee, vieles, was mich mit ihr verbunden hat.

Doch vor allem meine Tage in Hamburg waren dunkel gewesen, ein großes und tiefes schwarzes Loch, in dem ich unzählige, nicht enden wollende Stunden verbracht hatte. Ich war schon immer eher ein Leichtgewicht, doch ich brachte noch weniger auf die Waage. Mir war der Appetit vergangen. Trotz all der liebevollen Zuwendung, die ich erfuhr, fand ich aus diesem tristen Zustand nicht wirklich heraus. Meine beste Freundin war rührend gewesen. Sie war eine der wenigen, die wusste, dass ich trauern musste und dass Trauern keinen Druck verträgt und jeder seine ganz eigene Art und Weise hat, mit großen Verlusten umzugehen. Sie war einfach nur da, hielt mich im Arm, ließ mich weinen.

Wenn meine Haare zu unordentlich wurden, nahm sie mich an der Hand und ging mit mir ins Bad, um sie behutsam zu waschen. Mit all ihrer Liebe kümmerte sie sich um mich, doch ich war wie gefangen, das Leben schien in weite Ferne gerückt, etwas, das außerhalb von mir stattfand, von dem ich kein Teil mehr war.

Und nun atmete ich die frische salzige Luft des Ozeans, und das erste Mal seit Wochen konnte ich wieder ein wenig mehr Weite in meiner Brust fühlen. Die Klaue schien etwas locker zu lassen. Das einfache Sein in dieser phänomenalen Natur unterstützte mich, ganz langsam wieder aus meinem Loch herauszufinden. Viele Stunden habe ich damals dort alleine verbracht, mit nichts als den Geräuschen des Meeres und des Windes, den Felsen unter mir und der milden Sonne über mir. Meine Augen durften wandern, von Welle zu Welle, am Horizont entlang und wieder zurück.

Ich spürte instinktiv, wie wichtig es für mich war, alleine zu sein. Damals war mir nicht bewusst, welchen Wachstumsschritt ich dadurch machte. Wie nebenbei ließ ich dadurch auch einen Teil meiner legasthenischen Vergangenheit hinter mir.

Ein Dasein als Schlüsselkind ist wohl für alle Kinder eine große Herausforderung und wird bei den meisten seine Spuren hinterlassen. Ich hatte „on top“ den Druck meines Handicaps. Ständig war ich als Kind mit meiner Not alleingelassen worden. Als junge Erwachsene mied ich das Alleinsein als unbewusste Folge wie den Teufel, ich hatte richtiggehend Angst davor.

Nun erlebte ich das erste Mal, wie wichtig es war, nur für mich zu sein. Ungestört von anderen konnte ich mir die enorme Ressource der Natur erschließen, die mich in ihrer unumstößlichen Selbstverständlichkeit umgab. Der Ozean stellte keine Fragen, der Wind übte keinen Druck auf mich aus, die Elemente waren einfach nur da, ihre ganze Schönheit stand bedingungslos zur Verfügung.

Ich hatte im Stillen begonnen, mit meiner Mutter zu sprechen. My special place wurde auch ihr special place. Immer wieder konnte ich ganz deutlich ihre Präsenz fühlen. Ich glaube, viele Menschen, die einen nahen Angehörigen verloren haben, kennen das, die gefühlte Anwesenheit des Verstorbenen, als wäre die Energie dieses Menschen plötzlich da, vielleicht auch nur die Erinnerung daran. Für mich fühlte es sich immer wieder so an, als würden wir zusammen auf der Felsnase sitzen, die sanften Wellen des Pazifiks unter uns. Gemeinsam lauschten wir dem Wind, dem Meer und den Vögeln. Umgeben von der gewaltigen Natur führte ich heilsame und stille Dialoge mit meiner Mutter, und ganz langsam wuchs wieder eine zarte Verbindung zu ihr, ein

Kontakt zu ihrer Seele, der mir durch den Schock verloren gegangen war. Und das tat mir unendlich gut.

Ich begann mich wieder an ihre wunderbaren Sprichwörter zu erinnern, die sie für mich auf Lager hatte. „Pick yourself up. Brush yourself down. And start all over again." Oder: „All that glitters is not gold." Es war ihre Art und Weise gewesen, mich zu ermutigen. Wenn ich den Kopf hängen ließ, mich zu sehr mit anderen verglich. Sie wollte mir vermitteln, dass die anderen Mädels vielleicht gut in der Schule sind, aber Sweety, du kennst ihren Charakter nicht – „Don't judge a book by its cover".

Auch ihr provokanter englischer Humor kehrte zu mir zurück. Mit 18 hatte ich einen Freund gehabt, der dafür brannte, sich einen neuen Namen von seinem spirituellen Vorbild geben zu lassen. Er legte seinen ursprünglichen Namen ab und bekam den Namen Uddar verliehen. Meine Mutter hatte sich einen Spaß daraus gemacht, mich mit dem Namen meines Freundes aufzuziehen. Mit einer Unschuldsmiene hatte sie mich immer wieder geneckt. Statt Uddar nannte sie ihn stets Udder. Udder bedeutet auf Englisch Kuheuter. Ihre wunderbar schelmische Seite, die sie stets in sich trug. Den tiefblauen Ozean vor mir musste ich herzhaft lachen, als diese Geschichte wieder in mein Bewusstsein kam.

BEDINGUNGSLOS

Der Tod meiner Mutter und die dadurch ausgelöste frühe Lebenskrise brachten auch die Schwachstellen meiner Persönlichkeit im Schlepptau mit an die Oberfläche. Krise als Chance. Leichter gesagt, als getan.

Krisen scheinen immer auch ein Licht auf Unbewusstes zu werfen. Auf alte unaufgelöste Erfahrungen, die unbemerkt ihr Unwesen in unserer Innenwelt treiben und unser Verhalten steuern. Manchmal haben wir auch sehr bewusste unliebsame Gesellen am Steuer unseres Handelns und wissen nicht, wie wir ihrer ledig werden können.

40 Prozent. Du erinnerst dich? Die Beeinträchtigungen in der Persönlichkeitsentwicklung bei Legastheniker:innen. Darum ging es nun für mich. Beeinträchtigungen haben natürlich nahezu alle Menschen. Ich kenne niemanden, der nicht durch die Erfahrungen seiner Kindheit in irgendeiner Art und Weise suboptimal geprägt ist. Als Mensch mit einem Handicap ist die Chance, beeinträchtigt zu werden, lediglich ein wenig höher, zumindest in unserem Kulturkreis.

Meine strukturellen Schwierigkeiten hatten sich zu meinem großen Glück wenig auf meinen Beruf ausgewirkt. Lediglich die Vorbereitung auf die Leseproben waren für mich aufwendiger als für meine Kolleg:innen. Doch jetzt stand meine Persönlichkeit auf der Bühne, der Spot voll auf sie gerichtet. Ich hatte mir beispielsweise unbewusst eine liebe und immer nette Rolle übergestülpt. Situationen, die erforderten „nein“ zu sagen, überforderten mich. Stets verharrte ich in meiner freundlich lächelnden Anpassung.

Doch nun ging es ans Eingemachte und dieser außergewöhnliche Platz an der Küste des Pazifiks sollte ein Meilenstein in meinem Leben werden, der bis heute ein helles Licht sendet.

In Esalen war ich als sogenannte Workerin eine von 80 Männern und Frauen, die sich ebenfalls dafür entschieden hatten, das Institut auf diese Weise kennenzulernen.

Workerin bedeutete Mitarbeit in einem der verschiedenen Bereiche des humanistischen Zentrums, in der Küche, in der kleinen angeschlossenen Landwirtschaft, welche die anwesenden Menschen mit frischem Gemüse und Salat versorgte, oder auch in der Wäscherei. Kost und Logis waren für uns Mitarbeitende wesentlich günstiger, und wir konnten uns für einen Monat jeweils einen Workshop aussuchen, an dem wir teilnahmen. Ich hatte mich für einen Massagekurs entschieden. Es gab jeweils eine Einheit am Nachmittag. Schon der Weg zum Ort des Geschehens war ein Traum. Der Kurs fand bei den sogenannten Bädern, den Baths statt, die auf halber Höhe der Klippen über einem Steinstrand lagen. Dort unten zwischen den Klippen und dem Ufer des Meeres tummelte sich eine kleine Robbenkolonie. Einmal am Tag lief ich den Weg, der durch die bewachsenen Abhänge hinunterführt. Den Ozean immer im Blick, das Rauschen der Wellen in den Ohren. An stilleren Tagen waren die eigentümlichen Laute der Robben zu hören.

Die Bäder waren die heißen Quellen, welche zu Pools gefasst waren. Liebevoll aus Stein gebaute Becken, die hot tubs. Der Kurs begann in den tubs, die Anfangsentspannung mit Blick auf den Ozean. Alle Teilnehmer:innen waren auf die verschiedenen Becken verteilt. Wir tauchten ein in die wohlige Wärme des schwefeligen Wassers, wohltuend für die Muskeln und die Haut. Unter uns das tiefblaue Meer. Ein Paradies auf Erden.

Ich war die Jüngste im Kurs mit meinen zarten 22. Ich hatte, wie schon erwähnt, einen eher zierlichen Körperbau und wirkte noch immer jünger, als ich war. Wieder war ich das Nesthäkchen. Alle in der Gruppe wussten von meinem schweren Verlust und meiner tiefen Trauer, es wäre auch unmöglich gewesen, meine Gefühle zu verbergen. Einige ältere Frauen waren voller Anteilnahme an meinem Schicksal und nahmen mich ein wenig in ihre Obhut. Alle waren in etwa im Alter meiner verstorbenen Mutter und hatten ein Auge auf mich.

Es war eine Art mütterliche Unterstützung, die ich von ihnen in dieser Zeit erfahren durfte, ein weiterer Puzzlestein, um meine Trauer auf eine heilsame und gesunde Weise erleben zu können, um ihr einen angemessenen Platz im Garten meiner Seele zu geben. Nach Ende des Kurses verbrachte ich oft noch Zeit alleine im warmen Wasser der hot tubs. Die anderen Kursteilnehmer:innen machten sich meist auf den Weg zum Abendessen – so wurde es stiller und ich genoss die Ruhe. Mein Geist wanderte dann zu den kursierenden Gerüchten, wofür die heißen Quellen ursprünglich genutzt wurden.

Es hieß, die indigenen Stämme hätten daran geglaubt, dass das schwefelhaltige Wasser unfruchtbar mache, und sie wären zum Liebemachen hierhergekommen. Nein, ich verlor mich nicht in erotischen Fantasien. Es war der Gegensatz, der für mich dadurch noch deutlicher wurde. Ich fühlte mich in den Becken wie von einer großen, bedingungslosen Mutter getragen. Ihre Arme weit für mich ausgebreitet. Wie konnte es da um unfruchtbare Frauen gehen? Das passte für mich so gar nicht zusammen. Für mich waren es Momente der Hingabe. Der weite Himmel über mir, umgeben von der wilden Schönheit der Küste konnte mein Körper im warmen Wasser endlich wieder etwas mehr loslassen. Er war voller Anspannung gewesen, der Schock hatte ganze Arbeit geleistet. Und so wie mir my special place beim Loslassen half, gaben die Quellen ihren Teil dazu.

IGOR UND DIE KARTOFFELGRUPPE

„Get them done by 11." Der Koch hatte uns einen der riesigen Kartoffelsäcke auf unsere Arbeitsplatte gehievt. Kartoffeln schälen für die 200 Menschen am Platz. Als Workerin war ich die ersten zwei Monate meines insgesamt dreimonatigen Aufenthalts in der Großküche von Esalen tätig. Der Arbeitseinsatz in der Küche hatte früh begonnen.

Frühstück machen und herrichten. Dann eine kurze Frühstückspause zusammen mit den anderen Worker:innen, den Seminarteilnehmer:innen der verschiedenen Workshops, den hier lebenden Therapeut:innen und den Gastdozent:innen. Während die zahlenden Gäste der verschiedensten Kurse noch den Ausblick auf den weiten Pazifik genießen konnten oder sich bei einem zweiten Kaffee in ein entspanntes Gespräch vertieften, waren wir schon wieder an der Arbeit.

Meine kleine Kartoffelgruppe. Wir schälten, schälten, schälten. Und hatten Spaß dabei. Noch nie in meinem Leben hatte ich eine derartige Arbeitsatmosphäre erlebt. Wir haben richtig rangeklotzt. Wie gesagt, es waren 200 Münder zu stopfen. Das erlaubte keinen besinnlichen Müßiggang, kein Warmwasserfloating – „get them done by 11".

Aber die Zusammenarbeit war durchdrungen vom besonderen Geist dieses Ortes. Immer konnte der ganze Mensch anwesend sein. Der Koch war nicht nur für ein exzellentes Gelingen der Mahlzeiten zuständig, sondern auch für ein gutes Miteinander der menschlichen Zutaten innerhalb des Küchenteams. Wenn er den Eindruck hatte, dass irgendetwas nicht richtig rundlief, schlug er den Küchengong. Zeit für den „weather report". Die Arbeit wurde kurz unterbrochen und jedes Teammitglied bekam einen Augenblick, um mitzuteilen, wie er oder sie sich fühlt. War die Gefühlslage sonnig, zogen ein paar Wolken durchs Herz, tobte ein kleiner Gedankensturm ... Das waren kleine Momente des Innehaltens, die Gefühle aller Anwesenden konnten ausgesprochen werden. Meist brauchte es nicht mehr, um eine geklärte „Wetterlage" zu schaffen. Und wenn Einzelne mal spezielle Unterstützung benötigten, wurde dafür gesorgt. „Wer hat Zeit und Kapazität?", war dann die Frage des Kochs an die versammelte Runde. Es gab immer jemanden, der gerade nicht ganz so eingespannt war. Auch ich brauchte ein paar Mal Unterstützung, wenn die schmerzlichen Gefühle meines Verlustes mich während des Arbeitens aushebelten, mir während des „weather reports" die Worte im Halse stecken blieben. Dann kam eine einfühlsame Stimme an meine Seite, eine Hand in meinen Rücken. Ein paar Momente zugewandter Aufmerksamkeit waren meist schon ausreichend, um wieder Kraft für die Arbeit zu finden.

Für mich als Gefühlsmensch war diese Art und Weise des Arbeitens eine unglaubliche Erfahrung. Meine Gefühle konnten ein selbstverständlicher Teil der Arbeit sein, immer wieder konnte ich Trost finden. In anderen Momenten war ich wie beflügelt von der emotionalen Verbundenheit des Teams, beim Spülen, beim Rühren, beim Kartoffelschälen. Wir kochten mit Liebe und Freude, mit gegenseitiger Anteilnahme und der nötigen Geschwindigkeit.

In der Küche hatten wir einen besonderen Raum – Igor. Es gab einige Räume und auch ganze Häuser in Esalen, die Namen hatten. Meist benannt nach namhaften, außergewöhnlichen Therapeut:innen, die den Ort besonders geprägt und bereichert hatten. Es gab beispielsweise „The Fritz", nach Fritz Perls, dem Begründer der Gestalttherapie, der hier gelebt und gewirkt hatte. Menschen, die bereit sind, sich mit ihren inneren Abgründen auseinanderzusetzen, um ihre Schätze zu heben, brauchen gutes Essen, denn das ist richtiggehende Arbeit. Küchen sind in Zentren wie diesen deshalb eine Art Herzstück. Sie bereichern alle anwesenden Menschen mit gesunder und kräftigender Nahrung. Igor war der Raum, in dem ein Teil unserer Schätze lag. Er war unser kleines sibirisches Refugium, unser Kühlraum, in dem unter anderem die Kartoffelsäcke lagerten.

Ich war diejenige, die sich immer rechtzeitig auf den Weg machte, Igor zu besuchen. Denn wie sich herausstellte, war ich die Workerin in unserer Kartoffelgruppe, die am besten den Überblick behielt. Trotz meines zarten Körperbaus hatte ich Kraft und vor allem auch Einsatzwillen. Die Zeit der blauen Lippen als kleines, schlotterndes Mädchen lag weit zurück. Ran an den nächsten riesigen Kartoffelsack und hinausgezerrt, um ihn Igors Kälte zu entreißen. Auf den Arbeitstisch haben wir den Sack dann zusammen gewuchtet und weiter gings – get them done ...

Dass ich leisten konnte, wusste ich, doch in dieser Küche erlebte ich etwas Neues. Das Leisten, welches ich bisher kannte, war häufig mit einem Müssen verbunden, mit Druck, mit inneren Ansprüchen an mich selbst oder der Befürchtung, bestimmten äußeren Ansprüchen nicht zu genügen. Hier haben wir auch gepowert, wir haben auch viel geleistet, doch es fühlte sich völlig anders an. Das Ackern in der Kartoffelgruppe entsprang einem Gefühl der Freude, einem Zustand von Verbundenheit, zu mir selbst und zu den anderen. Ein erfülltes Arbeiten, kein auszehrendes. Ein Arbeiten, das ganz neue Facetten sichtbar werden ließ.

Die Rahmenbedingungen in der Großküche von Esalen waren perfekt. Hunderte von geschälten Kartoffeln wurden zu einer wichtigen Erkenntnis und zeigten mir den Unterschied zwischen anstrengendem Leisten und freudvollem Leisten.

By the way – meine Lieblingsbeschäftigung war das Töpfewaschen. Ich stand an einem überdimensionalen Waschbecken, eine Topfbrause in der Hand. Das sind diese Brausen mit einem Hebel, den man drückt, und dann kommt das Wasser rausgeschossen. Jedes Mal mit einem kleinen Rückschlag. Meine unter dunklem Kummer verschüttete innere Heldin konnte endlich wieder lichte Momente erleben. Als wäre die banale Brause ein magisches Schwert der Freude, habe ich mit Begeisterung Topf um Topf abgesprüht.

Natürlich ist meine blühende Fantasie während dieser Tätigkeit mit mir durchgegangen, aber wer denkt da nicht an Wasserschlachten.

BEGRÄBNIS RELOADED

Auch im zweiten Monat meines Aufenthalts war ich an der Brause tätig, hemdsärmelig bearbeitete ich Topf um Topf und spülte auf eine gute Art und Weise die Erstarrung des Schocks hinfort. Die Vormittage in der Küche waren mir immer noch ein Vergnügen, unterbrochen von gelegentlichen Trauerphasen. Das Zusammenarbeiten, das Zack-Zack im Trubel der Essenszubereitung, die vom Koch eingeleiteten Hoch- und Tiefdruckgebiete waren mir weiterhin eine heilsame Unterstützung. Allmählich ließ die Anspannung in meinem Körper nach, meine Gefühle kamen wieder mehr in Bewegung, die innere Dunkelheit lichtete sich Stück für Stück. In vielen Mittagspausen besuchte ich weiterhin meinen speziellen Platz. Manchmal fühlte ich die Anwesenheit meiner Mutter und genoss die Präsenz ihrer feinen Energie, die gepaart war mit ihrem wunderbar trockenen englischen Humor. Doch mischten sich immer mehr Momente darunter, in denen ich einfach für mich war. Und das war gut so. Eine neue Kraft begann in mir zu wachsen, eine eigenständige Energie, die mich aufrichtete. Ja, mein Leben würde ohne meine Mutter weitergehen, ich würde alleine weitergehen. Sie würde immer einen Platz in meinem Herzen haben, doch ich war kein Kind mehr. Ich war eine junge, erwachsene Frau, die ihr Leben unabhängig meistern konnte.

Es war, als ob ein zartes Pflänzchen frischer, lebendiger Energie ganz allmählich größer würde und langsam, aber beständig die Schwere durchbrechen würde, die mich die letzten Wochen so niedergedrückt hatte. Wie ein Löwenzahn, der durch den Asphalt bricht.

Ich war nachmittags nun in einem neuen Workshop. Gestalttherapie bei einem der therapeutischen „Gurus" des Zentrums – John Soper. Wir machten allerlei verschiedene Übungen, die immer irgendwie mit Kontakt zu tun hatten, entweder mit sich selbst oder mit anderen Teilnehmer:innen. Die Nachmittage waren spannend, auch wenn sich diese Gestalttherapie mir noch nicht richtig erschlossen hatte. Ich wusste nur, dass es nicht ums Basteln ging und dieser Ort maßgeblich von etlichen „Gestaltgrößen" geprägt wurde wie dem schon erwähnten Gründer Fritz Perls. Aber ich hatte noch keinen richtigen Durchblick. Ein wenig vermisste ich die hot tubs, das warme entspannende Schwefelwasser, die Robben, die salzige Meeresluft, die näher am Wasser noch intensiver zu riechen war. Es war auch ein kleiner Abschied von „meinen" Frauen gewesen, die sich so liebevoll um mich gekümmert hatten.

Aber, ich war im nächsten Abenteuer gelandet. C. G. Jung hat einmal gesagt: „Das einzig lebenswerte Abenteuer kann für den modernen Menschen nur noch innen zu finden sein." Und die Gestalttherapie schien zu diesem Abenteuer einen Beitrag zu leisten. Zumindest war der Kurs voll ausgebucht und die meist älteren anderen Teilnehmer:innen schienen den Ansatz zu kennen und davon überzeugt zu sein.

Der Nachmittag begann wie immer mit einer Eröffnungsrunde, ein etwas ausführlicherer „weather report". Jeder, der wollte, konnte mitteilen, was ihm auf dem Herzen lag. Heute meldete sich ein Mann Mitte 30 und begann, unter anderem von seinem letzten Job zu berichten. Er war als Totengräber aktiv gewesen und plauderte aus dem Nähkästchen.

Von den Witzen, die er und seine Kollegen sich während des Tragens der Särge zuflüsterten – „oh, ein Stein, gleich muss ich stolpern". Die Gruppe verfiel über seine Friedhofsgeschichten in heiteres Gelächter. Alle amüsierten sich prächtig über die makabren Scherze. Nur ich war zuerst wie versteinert und löste mich dann mehr und mehr in Tränen auf. John, unser „Gestaltguru", hat das im Augenwinkel mitbekommen. Nach ein paar weiteren Witzen über Särge und einbalsamierte Tote hat er mich endlich angesprochen.

„What is happening?" Schluchzend berichtete ich vom Tod meiner Mutter und der nicht weit zurückliegenden Beerdigung. John hat dann sofort die Hand gehoben und für Aufmerksamkeit in der Gruppe gesorgt: „Oh look and listen, she ist badly grieving!" Sogleich waren mir alle Herzen und Ohren der Gruppe zugewandt. Die gesammelte Zuwendung habe ich damals gar nicht richtig registriert. Ich war auch in dieser Gruppe die Jüngste, ich war schüchtern und vor allem nicht gewohnt, so öffentlich meine tiefen Gefühle zu zeigen. Klar, in einer Filmrolle war das easy, aber nicht in einer großen Gruppe als jemand, der gelernt hatte, seine Verletzlichkeit zu verstecken und Schwächen besser nicht zu zeigen. Mein aktueller Zustand war keinesfalls perfekt. Aber ich konnte ihn auch nicht mehr unterbrechen. Meine Gefühle brandeten unaufhaltsam nach oben.

Ich berichtete, wie sehr mich das Lachen der Gruppe über Beerdigungswitze aufgebracht hatte, erzählte von den Albträumen, die mich verfolgten, in denen meine Mutter lebendig begraben wurde. Stille senkte sich über den Raum.

Ich begann von der Bestattung und vor allem der anschließenden Trauerfeier im Kreis der Familie zu erzählen. Meine Tante und mein Onkel hatten sich vollaufen lassen und dann damit angefangen, meine englische Oma zu beschimpfen. Ich hatte das als entehrend gegenüber meiner Mutter empfunden, war jedoch nicht in der Lage gewesen, aufzustehen und etwas zu sagen.

Plötzlich flog ein Kissen in meine Richtung. Es kam von John, verbunden mit der für mich damals komischen Anweisung, zum Kissen zu sprechen. Ich war irritiert. Warum in aller Welt sollte ich zu diesem Kissen sprechen? Für alle anderen Anwesenden schien dieses Vorgehen ganz normal zu sein. „Bring them into the room. Your family is here. Talk to them!“ Ich sollte so tun, als würde das Kissen meine erlebte Situation repräsentieren, als wäre meine Familie da und ich sollte sie direkt ansprechen und nicht über das Erlebte reden. Was sollte ich tun? Ich war Teilnehmerin dieses Kurses und John eine anerkannte Koryphäe. Es fühlte sich fremd und komisch an, aber ich entschloss mich, seinen Anweisungen zu folgen. Schüchtern sprach ich zum Kissen und brachte meiner Familie gegenüber zum Ausdruck, wie ich die Situation erlebt hatte. Meine Tante schien für Außenstehende sehr deutlich wahrnehmbar als Dreh- und Angelpunkt meiner Trauerfeiererfahrung herauszustechen. Ein nächstes Kissen kam angeflogen. Ein Extrakissen nur für meine Tante: „Tell her what you are feeling.“ Alles in mir sträubte sich. Wie um alles in der Welt sollte ich das bewerkstelligen? Ich konnte doch meiner Tante nichts an den Kopf werfen, auch wenn sie sich so unmöglich verhalten hatte. Sie war nicht mehr zu bremsen gewesen und hatte meine Oma mit Vorwürfen überschüttet. Der Anlass, für den wir uns versammelt hatten, war ihr vollkommen egal geworden. Vom Alkohol enthemmt, hatte sie die Trauerfeier für meine Mutter gesprengt.

Nun gut, jetzt wo ich schon mal dabei war. Ich sprach das zweite Kissen an, also meine Tante, sagte ihr so lieb und nett, wie ich das gewohnheitsmäßig machte, wie ich die Situation erlebt hatte. „No, no, talk to her in the present moment!", war die nächste Anweisung. Ich sollte also wirklich so tun, als würde sie mir im Hier und Jetzt gegenübersitzen. Im ersten Anlauf hatte ich aus einer gewissen Distanz gesprochen. Ich sprach sie also noch direkter an, sagte ihr sozusagen ins Gesicht, natürlich so freundlich wie möglich, wie sie mit ihrem Verhalten meine Mutter entehrt und mich zutiefst enttäuscht hatte. „Say that again!", war die Anweisung von John. Ich wiederholte die Aussage: „Du entehrst meine Mutter und enttäuschst mich zutiefst!" Jetzt geschah Überraschendes, das erste Mal in meinem Leben spürte ich Wut. Sie stieg aus meinem Bauch nach oben. John hatte das gemerkt. „Say that once again!" – „Du entehrst meine Mutter und enttäuschst mich zutiefst!" Meine nette Fassade begann zu bröckeln, und ich spürte, wie gut mir das tat. Es war, als würde ein Damm in mir brechen. Ein heißer Strom wütender Gefühle bahnte sich seinen Weg. Jetzt musste der Therapeut keine Anweisungen mehr geben. Das Kissen wurde mit

Haut und Haaren zu meiner Tante, und all meine zurückgehaltene Wut konnte sich endlich ausdrücken. Ich beschimpfte sie, ich brüllte sie an. Die anderen Teilnehmer:innen waren begeistert und feuerten mich an. Sie konnten den emotionalen Befreiungsschlag fühlen, den ich durchlebte.

Nachdem ich dem „Kissen“ alles mitgeteilt hatte, alles zum Ausdruck gebracht hatte, kam der ehemalige Totengräber zu mir. Er war voller Anteilnahme und ein wenig beschämt, wie sehr seine Witze, die so völlig anders gemeint waren, meine noch sehr naheliegenden schmerzlichen Erlebnisse zutage gefördert hatten. Ich fand warme Zuflucht in seinen Armen, weitere Tränen flossen mir über die Wangen. Jetzt konnte ich meiner Tante verzeihen. Scheinbar hatte meine zurückgehaltene Wut den Weg zur Vergebung versperrt. Nun war mein Herz für meine Lieblingstante wieder offen. Ich fühlte Stolz in mir. Innerlich hatte sich etwas zurechtgerückt. Das war also Gestalttherapie.

Die Gestalttherapie spricht hier davon, dass sich eine Gestalt geschlossen hat. Die Trauerfeier für meine Mutter war in mir als offene Gestalt zurückgeblieben. Es war eine Art unerledigte emotionale Angelegenheit. Das erste Mal in meinem Leben hatte ich Wut gefühlt. Bisher hatte ich diese wohl gut verdrängt. Doch während der Trauerfeier hätte ich die Kraft meiner aggressiven Gefühle gut brauchen können, um dem respektlosen Verhalten meiner Familie Einhalt zu gebieten. Heutzutage sehe ich das sehr klar. Der innere Dammbruch war nötig, um die Ehre meiner Mutter wiederherzustellen, zumindest in meinem Herzen, und darum geht es doch. Ihr Platz war vom unmöglichen Verhalten meiner englischen

Familie nicht mehr befleckt. Diese Kissen, die plötzlich so lebendig wurden, hatten mir das ermöglicht.

Heute kann ich sehen, wie damals erste Grundsteine gelegt wurden, die mich bestimmenden „legasthenischen" Verhaltensmuster und Prägungen abzulegen: vor allem den grundlegenden Minderwert, den viele Legastheniker:innen kennen, der sich in alle Lebensbereiche ausdehnt und bei vielen zu ganz grundsätzlicher Schüchternheit und Zurückhaltung führt. Ich hatte erleben dürfen, wie wichtig es sein kann, meine mir angewöhnte liebe und nette Maske fallen zu lassen und mit allem in mir rauszukommen und dafür sogar noch Anerkennung und Jubel zu ernten: „Well done, yeah!"

Damals konnte ich die Erfahrung selbstverständlich noch nicht in dieser Klarheit aufdröseln. Ich war einfach nur von Stolz erfüllt. Ich war für meine Mutter eingestanden, so wie sie es verdient hatte.

BONUSPAKET

Ich habe erst Jahre später erfasst, wie umfassend die Zäsur an den Ufern des Pazifiks für mich gewesen ist und wie prägend für mein restliches Leben. Ich hatte die lähmende Traurigkeit hinter mir gelassen, die mich seit dem Tod meiner Mutter in ihrem eisigen Griff hatte. Meine Hoffnung war gewesen, in Kalifornien wieder glücklicher zu werden. Tatsächlich ging diese damals in Erfüllung, nach drei Monaten war ich wie verwandelt.

Die Bewältigung meiner Trauer wäre mehr als genug gewesen, doch wie nebenbei erhielt ich zusätzlich ein umfangreiches Bonuspaket. Ich war mir selbst in einer Tiefe und unmittelbaren Natürlichkeit begegnet wie nie zuvor in meinem Leben. Die Workshops, die warmherzige Zusammenarbeit, der tiefe Kontakt zu so vielen Menschen und nicht zuletzt die Rückverbindung zur Natur hatten mich einen Weg betreten lassen, der weit entfernt von meiner bisherigen Lebensspur lag. Meine tiefsitzenden Ängste, meine kompensierenden Strategien, all dies stand in diesen drei intensiven Monaten zusehends auf einem Abstellgleis. Ohne es recht zu merken, hatte ich eine neue Abzweigung genommen, die mich mit meinem eigentlichen Wesen in Kontakt brachte. Wie heißt es doch: Man kann neben der Spur sein – und das war ich ganz offensichtlich bis zu diesem Punkt in meinem Leben gewesen. Klar, die Schauspielerei bot einem wichtigen Anteil meines Wesens die Plattform, die es brauchte. Meine kreative, darstellerische Ader, die mich seit meiner Kindheit begleitete, sie konnte in den verschiedenen Filmrollen blühen und gedeihen. Doch die Stresserfahrungen meiner Mädchen- und Teenagerzeit steckten mir in Haut und Knochen. Auch meine Freude am Schauspiel war davon noch überschattet. Häufig lauerte im Hintergrund ein latenter Druck, der Zwang, keine Fehler zu machen, perfekt sein zu müssen. Im professionellen Arbeitskontext wurde dies am deutlichsten, doch waren diese stressigen inneren Antreiber auch Teil meines Alltages.

Die Angst vor dem Alleinsein machte mich zudem ruhelos. Ich unternahm so viel wie möglich, durchaus Freudvolles, doch so war ich schon als Kind und Teenager unangenehmen Gefühlen möglichst aus dem Weg gegangen. Als Sahnehäubchen obendrauf, meine ausgeprägte Schüchternheit, die Tendenz, mich ab und an, so gut es ging, unsichtbar zu machen.

Selbstverständlich ist es schwierig, haargenau zu benennen, welche dieser Belastungen meiner damaligen Persönlichkeit Folgen der unerkannten Legasthenie waren, welche mit der Trennung meiner Eltern zu tun hatten, welche mit dem Mutterseelenalleine-Sein oder mit der häufigen Absenz meines Vaters. Diese Trennschärfe herzustellen, erscheint mir auch heute noch unmöglich. Doch viele meiner Probleme als junge Erwachsene passten in die Schublade der typischen „Begleiterscheinungen" derjenigen Legastheniker:innen, die damit kämpfen, ihr Handicap alleine bewältigt haben zu müssen. Mein Selbstwert war mager, mein inneres Stresslevel war hoch, zu den oben erwähnten Ängsten kam noch die Angst, ertappt zu werden, immer Hand in Hand mit ausgeprägten Schamgefühlen. Außerdem war ich mir meiner Stärken nicht bewusst. Ein großer Teil meiner Persönlichkeit gab ein Paradebeispiel für die schwierigen Folgeerscheinungen eines vernachlässigten Heranwachsens mit dem Handicap Legasthenie. Ein erheblicher Teil meiner Energie floss in meine Bewältigungsstrategien und kompensierenden Verhaltensmuster. Heute ist mir klar, dass Bewältigungsstrategien in der Kindheit zwar tolle und kreative Lösungen sind, mit Schwierigkeiten umzugehen, doch als Erwachsene stehen uns diese Vorgehensweisen im Weg. Sie werden zu Vermeidungsstrategien, die uns von unserem ursprünglichen Wesen entfremden und uns von unserem Weg mehr oder weniger weit abbringen können. So war es auch bei mir. Ich lief neben meiner eigentlichen Spur, ohne dass ich mir dessen allzu bewusst war.

Im paradiesischen Esalen-Institut wurde ich unerwartet auf meinen Weg aufmerksam. Das erste Mal konnte ich erkennen, was mir über meine Lust an der Schauspielerei hinaus wirklich wichtig war. In meiner Kindheit war ich in meinen Träumen geflogen. Nach so vielen Jahren am Boden einer häufig überfordernden Realität erhob ich mich wieder in die Lüfte. Meine Herzenssehnsüchte kamen an die Oberfläche. Ich konnte hinter die Enge meiner Beschränkungen blicken, sehen, welch wunderbare innere Landschaft dort auf mich wartete, einerseits still und zauberhaft, andererseits abenteuerlich und ungestüm. Größtenteils unerforschtes Land, das von mir erschlossen und erobert werden wollte.

In dieser Zeit war ich vor allem mit einer bisher nicht gekannten Gelassenheit in Kontakt gekommen. Ich fühlte mich so tief entspannt wie nie zuvor in meinem Leben, zumindest konnte mir meine bewusste Erinnerung nichts dergleichen präsentieren. Gleichzeitig war ich hellwach, fühlte mich innerlich weit und glücklich. Ich war zufrieden.

Wie wichtig dieser Zustand für mich war, konnte ich damals noch gar nicht ermessen. Doch er nistete sich in mir ein. Ein Samen, der über die Jahre, gar Jahrzehnte aufgehen sollte und mich bis heute begleitet. Herauszufinden, was ich brauche, damit innere Gelassenheit an den Platz meiner ängstlichen Blockaden rücken kann.

Einige der Zutaten, die diesen friedlichen Zustand hervorgerufen hatten, waren mir jedoch schon als junge Frau bewusst. Das menschliche Miteinander hatte mich im Herzen berührt, Gefühle hatten einen gänzlich selbstverständlichen Platz. In dieser Form hatte ich das noch nie erlebt, und es war für mich eine Initialzündung. So wollte ich leben.

Zudem bin ich meiner Angst vor dem Alleinsein nicht mehr so stark ausgewichen, hatte im Gegenteil erfahren, dass alleine sein für mich auch gut und bereichernd sein kann.

In meinem letzten Monat ist mir bewusst geworden, wie wesentlich Natur für mich ist. Ich war von der Küche in den Gemüsegarten gewechselt und außerdem viel in den umliegenden Wäldern unterwegs, beim „Nature Hiking“ mit meiner neuen Nachmittagsgruppe. Auch das war eine völlig neue Erfahrung für mich. Ich war in Hamburg aufgewachsen, hatte mein ganzes Leben in der Stadt verbracht. Bei den ausgiebigen Wanderungen begannen sich ganz neue Sinne in mir zu öffnen, vor allem bei den sogenannten Blindwalks. Dir werden die Augen verbunden und anschließend wirst du von einer Person blind durch den Wald geführt. Zu Beginn sind viele erst mal ziemlich angespannt.

Konnte man der Führung vertrauen? Würde gut auf einen achtgegeben? War das Vertrauen einmal hergestellt, war man bereit für die eigentliche Erfahrung. Ich erinnere mich, wie sich meine ohnehin sehr ausgeprägte sensitive Wahrnehmung noch potenzierte, wie intensiv ich plötzlich Geräusche und Gerüche wahrnahm. Auch mein Tastsinn war viel stärker beteiligt. Der Wald war sehenden Auges schön gewesen, doch blind entfaltete er einen besonderen Zauber. Diese Erfahrungen schärften mein Bewusstsein, und ohne Augenbinde war ich in der Folge mehr mit all meinen Sinnen beteiligt, wenn wir eine nächste Wanderung unternahmen. Natur habe ich so zusehends als eine Art Tempel empfunden, in dessen Schönheit ich auf den Ausflügen eintauchte.

Es waren lauschende und beseelte Momente in den fantastischen Wäldern von Big Sur.

Vormittags habe ich mit meinen Händen in der Erde gewühlt, Karotten geerntet und Salate. Das war die handfeste Seite, der Natur näherzukommen. Die Äcker von Esalen zu bestellen, schubkarrenweise Gemüse zur Küche zubringen, um es in Igor zwischenzulagern. Der „weather report" hatte in der Gartengruppe eine zusätzliche Dimension, denn zu unserer inneren Wetterlage gesellte sich die äußere. Egal, bei welchen Bedingungen, das Gemüse musste geerntet, die jungen Pflanzen mussten gepflegt werden. Ich habe es geliebt und auch dieser Kontakt zur Erde hat mich beseelt.

Vor allem in diesem letzten Monat hatte ich entdeckt, wie viel Kraft mir das Sein in der Natur gibt und wie sehr mich die Schöpfung berührt. Wie wichtig es für einen Teil meiner Seele war, draußen in natürlicher Umgebung zu sein, um zu mehr Gelassenheit zu finden und meinem Wesen Gutes zu tun. Seit dieser frühen ausgedehnten Reise habe ich mich Stück für Stück Richtung Leben auf dem Land bewegt. Heute liegen Städte weit hinter mir und Wälder direkt vor meiner Nase.

*sutsche (deutsch)

Wortart: Adverb
Andere Schreibweisen: sutje
Silbentrennung: sut|sche
Aussprache/Betonung: [ˈzuːtʃə]
Bedeutung/Definition: gelassen, locker, entspannt, sachte
Begriffsursprung: Plattdeutsch suutje

Alles sutsche*, oder was?

KLEIN-ESALEN

Der Hamburger Stadtpark war nicht Big Sur, aber immerhin ein wenig Natur. Er lag in fußläufiger Entfernung zu meiner damaligen Wohnung. Ich war aus dem Paradies gefallen. Der Aufschlag zurück in meiner Heimat war hart, der Höhenflug abrupt beendet. Es war mir nicht möglich gewesen, den friedlichen und weiten inneren Zustand und die damit verbundenen Glücksgefühle aufrechtzuerhalten. Einzig die Trauer über den Tod meiner Mutter überwältigte mich nicht mehr. Dieser Prozess schien erst mal einen ruhigeren Verlauf zu nehmen, und dafür war ich überaus dankbar. Im Park traf ich mich nun häufig mit Freunden. Ich hatte Sehnsucht nach Menschen, nach Zusammensein, nach Kontakt. Wir saßen beisammen, unterhielten uns, chillten gemeinsam, wie man heute sagt, meist brachte jeder etwas zu essen mit. Vor allem Kartoffelsalat erfreute sich großer Beliebtheit. Dieser Freundeskreis wurde zu meiner neuen Kartoffelgruppe, nur ohne „weather report“ und ohne die tiefe emotionale Offenheit, die ich in Kalifornien erleben durfte. Trotzdem, es gab mir einen gewissen Halt. In Esalen hatte ich gekostet, wie menschliche Gemeinschaft sein kann. Es war Nahrung für mein Herz gewesen, und jetzt war ich mit Verdauen beschäftigt.

Doch Woche für Woche wurden ganz allmählich auch die Errungenschaften meiner dreimonatigen Auszeit deutlich. Ich fühlte mich erwachsener, meine mädchenhafte Attitüde war ein gutes Stück von mir gewichen. Ein neues Unabhängigkeitsgefühl war in mir erwacht. Selbstvertrauen und

Selbstsicherheit waren plötzlich keine Fremdwörter mehr für mich.

Zu meiner großen Freude hatte mich meine Agentin angerufen. Hanni hatte die ganzen letzten Monate keinerlei Druck ausgeübt und mir die Zeit gegeben, die ich brauchte. Ich glaube, sie wusste, was ich durchmachte. Sie hatte selbst erlebt, was es bedeutete, einen Menschen viel zu früh zu verlieren. Ihr geliebter Mann war vor der Zeit verstorben. Nun teilte sie mir am Telefon mit, dass ein nächster Film anstand, die Hauptrolle in einer Rosamunde-Pilcher-Reihe, ZDF Herzkino. Dies bedeutete auch einen Aufenthalt auf der Insel, mein geliebtes England. Alle Pilcher-Filme werden dort gedreht.

Schon die Anreise war ein kleines Abenteuer. Es ging mit einer kleinen Maschine nach Südengland, weiter mit dem Bus. Früher hätte mich dies ein wenig verunsichert, jetzt war ich einfach nur voller Neugier. Untergebracht wurde ich in einem Herrenhaushotel in St. Ives, ein Gebäude im Stil von „The Mansion“. Du erinnerst dich an die alte spukende Dame? Meine vertrödelte Zeit auf dem Weg zur Bibliothek? Die Leprastation von Albert Schweizer, die meine Fantasie so angeregt hatte, lag etliche Jahre zurück. Nun durfte ich mich auf eine Filmrolle vorbereiten. Eine Aufgabe, an der ich Freude hatte. Alles ging mir leicht von der Hand. Die Umgebung war perfekt. Südengland hat dieses spezielle Flair, diesen südländischen Einschlag. Es gibt Palmen, das Meer ist durch den Golfstrom wärmer, Surfer tummeln sich im Wasser. Bei all dem bleibt es typically british. Ich genoss meinen englischen schwarzen Tee, dazu Scones in kleinen viktorianischen Teehäusern, die ich in meinen freien Zeiten aufsuchen konnte. Auch das war neu für mich. Ich musste mich nicht mehr ständig an andere anhängen. My special place hatte mir die Schönheit des Alleinseins gezeigt. Ich liebte es, St. Ives ganz auf mich gestellt zu erkunden.

Wieder zu drehen hat einfach nur Spaß gemacht. Zugegebenermaßen war ich nach dem jähen Ende meines Theaterengagements eingeschüchtert von den vereinzelten harschen Reaktionen gewesen. Nachdem ein Kollege gefordert hatte, dass die Show weitergehen müsse, dachte ich damals in meinem ersten Schock daran, die Schauspielerei an den Nagel zu hängen. Unter solch harten Bedingungen wollte ich nicht arbeiten. Doch nun blühte ich wieder auf, durfte machen, was ich schon immer gemacht habe und machen wollte. Vor der Kamera war ich wie elektrisiert. „Schneesturm im Frühling" war der Titel des Films. Wir drehten im Herbst. Bei Außenaufnahmen wurden Wiesen vom Herbstlaub befreit und mit Plastiknarzissen bestückt. So läuft das. Der Schneesturm war verwirbelter Schaum. In der Geschichte sollten mein Schauspielkollege und ich im Unwetter stecken bleiben. Was für ein Winter, überall hatte ich Schaum an mir kleben.

Meine Lebensgeister erwachten in dieser Zeit wieder zur Blüte. Bevor ich nach England gefahren war, war ich meinem Freund wieder nähergekommen. Ich hatte mich in meiner Trauerphase von ihm entfernt, obwohl er es war, der mich nach Esalen gebracht hatte. Er hatte sich um alles gekümmert, die ganze Reise organisiert. Ohne Internet war das damals noch wesentlich aufwendiger. Er war einen Monat lang mit mir zusammen in Big Sur gewesen, hat mich schon dort meine Wege gehen lassen, weil er spürte, dass ich Zeit für mich brauchte, um mit allem klarzukommen. Obwohl noch so jung, hat er schon damals die Größe und Reife besessen, mich freizugeben. Und nun flammten unsere Gefühle füreinander wieder auf. Es sollte nicht lange dauern und unser erstes gemeinsames Kind war auf dem Weg. Ich wollte schon vor meiner Zeit in Amerika unbedingt Mutter werden. Nun ging meine Sehnsucht in Erfüllung.

Die Frage, wie ich eigentlich leben wollte, wurde dadurch drängender. Wie und wo sollte unser Kind aufwachsen? Eine städtische Umgebung war schnell keine Option mehr. Ich hatte meine tiefe Liebe zur Natur entdeckt und wollte aufs Land. Am besten zusammen mit anderen Menschen. Damals gab es noch nicht viele Gemeinschaften, also war klar, dass wir unsere eigene kleine Gemeinschaft gründen. Das war der Traum, vielleicht eher meiner, aber mein Freund zog mit. Ein großes Haus mit Garten und vielen netten Menschen, das sollte es sein. Ich begann, viel Energie in diese Vision zu investieren. Wöchentlich durchsuchte ich die Immobilienanzeigen verschiedenster Zeitungen nach passenden Inseraten, führte Telefonate, habe Besichtigungstermine ausgemacht.

Nach zwei, drei Monaten war das richtige Haus endlich gefunden. Die Miete war nicht ohne, doch wir waren mutig genug, auf unsere Vision zu setzen, und schlossen einen Mietvertrag ab. Erst mal gab es ja nur meinen Freund und mich und unseren in meinem Bauch reifenden Nachwuchs. Die Gemeinschaft musste erst noch gefunden werden. Jetzt schalteten wir Inserate. Nun war ich diejenige, die angerufen wurde. Ich war so wählerisch, wie es mir die Situation erlaubte. Wir wurden nicht gerade überrannt. Das Haus war ab vom Schuss, man brauchte ein Auto, mit Mitte 20 keine Selbstverständlichkeit. Die Miete war auch geteilt durch fünf oder sechs immer noch erheblich. Doch ich wollte für unser kleines Esalen, so gut es ging, die richtigen Leute finden. Am Ende waren wir fünf Erwachsene. Ein Mann und zwei Frauen waren mit dazugekommen. Es war eine wilde Mischung. Unser männlicher Zugang arbeitete als Informatiker, eine der beiden Frauen folgte wie mein ehemaliger Freund Uddar demselben spirituellen Lehrer. Leider erinnere ich mich an ihren Namen nicht mehr. Meine Mutter hätte sicher ihren englischen Heidenspaß daran gehabt, auch ihren Namen wie zufällig falsch auszusprechen. Die zweite Frau, die Teil unserer kleinen Gemeinschaft wurde, bereicherte unseren Kreis noch mit ihrem Hund. Wir waren komplett. Das Heim für meinen ersten Sohn war bereitet.

ERFÜLLUNG MIT HINDERNISSEN

Gerade war unser Informatiker an mir vorbeigeschlichen. Es war ein Uhr mittags und er war auf dem Weg zum Frühstück, sich sein Nutellabrot schmieren. Er hatte mal wieder bis vier Uhr nachts gearbeitet. Ich war bereits eine Stunde später aufgestanden, um fünf Uhr morgens. Mein Erstgeborener hatte Hunger. So sehr mein Partner und ich unsere kleine Lebensgemeinschaft schätzten, schnell wurden die ausgesprochen unterschiedlichen Bedürfnisse offensichtlich. Ich glaube, niemand auf der Welt kann sich vor der Geburt des ersten Kindes vorstellen, wie das Leben mit Kind dann wirklich ist. Die Prioritäten verschieben sich grundlegend.

Die Erfordernisse an den Alltag verändern sich auf eine Art und Weise, die man nicht denken, sondern nur erfahren kann. Wir waren jung und hatten uns das Zusammenleben in einer Gemeinschaft als frische kleine Familie so romantisch vorgestellt. Doch wir mussten uns eingestehen, dass wir plötzlich ganz andere Wünsche entwickelt hatten. Vor allem auch in mir war ein starker Drang nach einem behaglicheren Nest entstanden. Mein Mutterinstinkt, den ich wahrscheinlich mit den meisten Müttern auf der Welt teile, bestimmte meine Entscheidungen.

Das Geburtserlebnis war die Krönung all meiner bisherigen Erfahrungen gewesen. Nicht wegen der Schmerzen, die gewaltig waren und Teil des Gebärens sind. Es war der immense Stolz, der mich überflutete, als ich meinen ersten Sohn in meinen Armen hielt. Der Stolz, den ich nach meiner „Kissenschlacht" in Esalen gefühlt hatte, war im Vergleich dazu nur ein Windhauch gewesen. Nun hatte ich Leben auf die Welt gebracht, mein Sohn war in meinem Bauch herangereift und durch mich geboren worden. Nie in meinem ganzen bisherigen Dasein hatte ich eine größere Leistung vollbracht. Die Intensität der Gefühle war schier überwältigend und sprengte in diesen Momenten jeden Minderwert, den ich je gefühlt, und jede Versagensangst, die mich je im Griff gehabt hatte. Ich durfte teilhaben an der unfassbaren Kraft der Schöpfung, ich durfte Leben schenken. Und mein noch winziger und verletzlicher Sohn, der schon so laut schreien konnte, brauchte ein geschützteres Heim.

Wir lösten die Lebensgemeinschaft auf und zogen zurück nach Hamburg. Immerhin lag unser neues Zuhause nahe der

Elbe. Nun hatten wir ein unseren Bedürfnissen entsprechendes Nest. Wir hatten geheiratet und unser zweiter Sohn war schon unterwegs. Er erblickte 16 Monate nach unserem ersten das Licht der Welt.

Ich war zweifache Mutter geworden und wie von selbst fielen einige meiner bisherigen Beschränkungen von mir ab. Ab dem initialen Atemzug meines ersten Sohnes stand ich in einer ganz neuen Verantwortung, die mich Stück für Stück erwachsener werden ließ. Ich war gefordert, mehr Entscheidungen zu treffen, und ich traf sie. Meiner Schüchternheit oder meinem mangelnden Selbstwert das Steuer zu überlassen war keine Lösung mehr. Ich musste und wollte mich um meine Kinder kümmern und für sie sorgen. Plötzlich ging es nicht mehr nur um mich. Unsere erste Hebamme hielt meinen Mann und mich beispielsweise dazu an, nur alle vier Stunden zu stillen. Die Stillende war natürlich ich, aber mein Mann war ein sehr beteiligter Vater. Kinder brauchen einen strengen Rhythmus, war ihre rigide Begründung, und diesen Rhythmus könnten sie nur über diese regelmäßige Zeitstruktur erlernen. Davon war sie felsenfest überzeugt. Unserem Erstgeborenen behagte dies ganz und gar nicht. Er hatte einen anderen, eigenen Rhythmus. Wir beschlossen, der Vier-Stunden-Regel nicht weiter zu folgen. Mich für mein Kind zu entscheiden und so auch für mich und meine Wahrnehmung war einer von vielen neuen Schritten, die mich selbstbewusster werden ließen. Vor allem auch, einer Autoritätsperson wie unserer Hebamme zu widersprechen. Nein zu sagen war ein wohltuender Akt der Selbstbehauptung, den ich so noch nie gewagt hatte.

Die Kraft der Mutterschaft wirkte sich ausgesprochen förderlich auf meine Persönlichkeit aus. Meine eingeprägten und beschränkenden Verhaltensmuster und Strategien, die ich aufgrund der unerkannten Legasthenie entwickelt hatte, konnten im Licht der elterlichen Verantwortung nicht mehr vollumfänglich bestehen. Elternschaft kann uns meiner Erfahrung nach in einem positiven Sinne zu neuen Entscheidungen drängen. Sei es innerlich oder äußerlich. Das bisherige Leben kann im wahrsten Sinne auf den Kopf gestellt werden. Ohne etwas zu machen, bekommen wir von unseren Kindern einen Entwicklungsimpuls. Das berühmte Gedicht von Erich Fried spricht von der Liebe: „Es ist, was es ist, sagt die Liebe". Die Liebe für unsere Kinder kann über alles hinausreichen und enge Beschränkungen, Ängste und Zurückhaltungen überwinden. Ich bin fest davon überzeugt, dass dies sowohl für Mütter als auch für Väter gilt.

In diesen frühen Jahren in meiner neuen Rolle gab es in meiner Wohnung einen kleinen Altar für meine verstorbene Mutter. Es war eine liebevoll dekorierte Stätte des Angedenkens. Eine Kerze stand dort, selbstverständlich ein Bild von ihr, eine ihrer wunderbaren Zeichnungen, sie hatte so viel Talent gehabt, und einige Muscheln, die mich an gemeinsame Urlaube erinnerten. Als Kind hatte ich mit ihr zusammen mit Begeisterung Muschelketten geknüpft oder Muschelmobiles gebaut. Die Muscheln hatten wir vorab in England oder auf einer südlichen Insel gesammelt. Eine der vielen schönen Erinnerungen an meine Mutter. Auch in Esalen hatte ich Muschelketten fabriziert, sie waren Teil meiner Trauerbewältigung gewesen. Der Pazifische Ozean war zwar zurückhaltend und spülte kaum Muscheln an die Steinstrände, doch es gab einen Kunstraum auf dem Gelände und dort einen ergiebigen Vorrat. Stunden hatte ich damals dort verbracht.

Jetzt war ich selbst Mutter geworden und ich vermisste meine eigene nun doppelt. Sie fehlte mir als Unterstützung in meinem Rücken und als Oma für ihre Enkel. Ich vermisste ihre Fairy Tales, die sie auch meinen Kindern vorgetragen hätte, selbstverständlich auf Englisch. Durch ihren Tod war die englische Linie meiner Herkunft unterbrochen worden. Zwar hatte ich mit ihr immer englisch geredet, aber geprägt war ich als Deutsche. Ich hatte mich entschlossen, mit meinen Kindern nur deutsch zu sprechen.

Eine Entscheidung, die ich mir auch heute noch nicht vollumfänglich erklären kann. Vermutlich hatte ich unbewusst zu viel Angst vor gezielten Fragen meiner Kinder. Ich hätte wunderbar mit ihnen sprechen können, doch meine Rechtschreibung war im Deutschen und im Englischen schlecht, und natürlich hätten sie angefangen, mich zu fragen, wie bestimmte Worte geschrieben würden. Ich wäre eine miserable Lehrerin gewesen und unter großen Druck gekommen. Wie groß dieser damals noch war, wirst du gleich erfahren. Sicherlich ein wesentlicher Grund, warum ich die englische Spur nicht an meine Kinder weitergab. Meine Mutter hätte dies tun können. Ihre Verbindung nach Great Britain, die bis nach Schottland reichte. Meine Mutter war eine geborene McEwan-Read, ein alter schottischer Clan.

Trotz des Glücks meiner eigenen Mutterschaft wog ihr Verlust noch schwer, gerade in der Zeit, als meine Kinder noch klein waren. Wunden wie diese verheilen nie ganz. Immer hinterlassen sie Narben, nur die Intensität des Schmerzes mildert sich im Laufe der Jahre ab, weicht liebevollen Erinnerungen. Doch das Vermissen bleibt.

Die Schauspielerei war zufällig etwas in den Hintergrund gerutscht. Ich drehte zwar, aber nicht so viel. In dieser Zeit meines Lebens die perfekte Mischung. Ich konnte viel Zeit mit meinen Kindern verbringen, ganz in meinem Muttersein aufgehen und ab und an Ausflüge in die Berufswelt unternehmen, um meiner kreativen Seite Spielraum zu geben.

Meine Oma hatte recht behalten. Aus mir war eine Schauspielerin und eine Mutter geworden und als solche war ich in einen geborgenen Hafen eingelaufen. Ein Teil in mir kam zur Ruhe, wurde innerlich stabiler, mein Leben wurde beständiger.

Ein Nest wie dieses hatte ich mir immer ersehnt. Jetzt war es Wirklichkeit geworden.

Alles wäre nahezu perfekt gewesen, wären die Bilderbücher meiner Kinder nicht mehr und mehr von komplexeren Büchern abgelöst worden, die ich vorlesen sollte. Das Lesen war nicht das Problem. Es war der völlig überzogene Druck, den ich mir selbst machte, mit dem ich mir selbst das Leben erschwerte.

Rückblickend erscheint mir mein damaliges Verhalten fast surreal, doch zeigt es auch auf, welche Folgen jahrelanger äußerer Druck hat. Verrückterweise beginnen wir, äußere Umstände zu verinnerlichen. Der immense Druck meiner Schulzeit wurde zu einem für Außenstehende kaum nachvollziehbaren inneren Druck. Ich musste meisterhaft vorlesen, allen unterschiedlichen Figuren der Geschichte eigene Stimmen geben. Im Gegensatz zu den Lesen-Proben musste ich für meine heranwachsenden Kinder faktisch das komplette „Drehbuch" in absoluter Perfektion beherrschen.

Mein Vater war ein grandioser Vorleser. Als die ihm nachfolgende Schauspielerin gab es nur eine Möglichkeit. Ich musste in seine Fußstapfen treten, am besten noch besser sein. Meine Kinder wurden zum Theaterpublikum, die für ihre Eintrittskarten horrende Preise auf dem Schwarzmarkt gezahlt hatten. Es war die Vorstellung des Jahres, ach was sage ich: des Jahrzehnts. Plötzlich fingen die Buchstaben wieder an zu tanzen. Das hatten sie lange nicht mehr gemacht. Ich hatte sie dazu gebracht. Ich musste bestechen durch Makellosigkeit, musste die beste vorlesende Mami der Welt sein. Drunter konnte ich es nicht machen. Und jetzt tanzten diese verflixten Buchstaben. Ich musste mich einfach noch mehr anstrengen. Das Publikum verzog schon sicherlich die Gesichter. Gleich würden sie ihr Geld zurückfordern.

Ach, da saßen ja nur meine beiden entzückenden Söhne und lächelten mich versonnen an. Sie waren ohne Erwartungen, lediglich meine Erfahrungen als Legasthenikerin waren über mich gekommen, eher über mich hereingebrochen.

Während der Entstehung dieses Buches habe ich meine Söhne gebeten, mir kurz zu schildern, wie sie ihre Kindheitssituation mit mir als Legasthenikerin erlebten.

Dazu mein jüngerer Sohn:

„Als Kleinkind ist mir die Legasthenie überhaupt nicht aufgefallen. Ich denke, Kinder legen allgemein keinen Wert darauf und sind eher mit anderen Dingen beschäftigt. Später ist es mir schon in vielen Momenten aufgefallen. Einen Wert darauf gelegt habe ich allerdings nach wie vor nicht und meine Mutter so genommen, wie sie ist.

Momente, in denen es mir auffiel, waren zum Beispiel, wenn ich Hilfe bei Aufgaben für die Schule oder die Uni benötigte.

Meine Mutter konnte auf jeden Fall immer sehr gut kreativen Input beisteuern. Wenn es allerdings darum ging, Hausaufgaben, Referate oder schriftliche Ausarbeitungen auf Fehler zu überprüfen, war mein Vater immer der erste Ansprechpartner.

Und emotional stand sie mir immer voll und ganz mit Rat und Tat zur Seite und das war für mich das Wertvollste. Ohne diese emotionale Unterstützung hätten mir die Hausaufgaben zum Beispiel sicher noch die ein oder andere weitere schlaflose Nacht beschert, als sie es ohnehin schon taten.

Sie ist wirklich der einfühlsamste Mensch, den ich kenne, und das sage ich nicht nur, weil sie meine Mutter ist. Ich weiß, dass andere Menschen genauso von ihr denken und sie für diese Fähigkeit sehr wertgeschätzt wird.

Durch die Einfühlsamkeit kann sie sich gut in Menschen hineinversetzen, mit ihnen mitfühlen und sich somit auf einer gedanklichen und emotionalen Ebene mit ihnen bewegen. Das wiederum führt zu beidseitigem Verständnis, ermöglicht, nährt und verbessert die zwischenmenschliche Kommunikation und Beziehung und gibt somit auch anderen Personen ein positives Gefühl.

Ich genieße Gespräche mit meiner Mutter immer sehr. Man kann über alles Mögliche mit ihr stundenlang quatschen. Sie redet viel und gerne, aber sie vermittelt dabei immer eine so tolle Ausstrahlung und interessante Meinungen, dass einem nie langweilig wird. Außerdem fühlt man sich bei ihr gehört und sie gibt hilfreiche Anregungen.

Sie ist insgesamt von ihrem Wesen her sehr kreativ. Ich erinnere mich zum Beispiel an einen Moment, in dem ich aus der Schule kam und sie zu Hause auf der Terrasse saß und Steine bemalte. Ich hatte keine Ahnung, wie sie auf diese spontane Idee gekommen war, aber es schien ihr unglaublichen Spaß zu machen. Am Abend schenkte sie mir dann eines ihrer Kunstwerke aus Stein, das mir bis heute sehr viel bedeutet und einen unangefochtenen Platz auf meiner Fensterbank genießt. Solche kreativen Momente unserer Mutter waren für meinen Bruder und mich keine Seltenheit und immer sehr aufregend. Wir durften dann natürlich auch mitmachen, und sie hat uns ihre Begeisterung dafür vermittelt.

Eigentlich ist es kein Wunder, dass sie in der Unterhaltungsbranche aktiv ist. Sie genießt den Mittelpunkt und der Mittelpunkt genießt sie. Nicht selten gibt es Situationen, in denen sie etwas theatralisch aufzeigt oder jemanden imitiert. So ein bisschen wie bei dem Gesellschaftsspiel Activity – nur eben in Reallife. Einer meiner Favoriten ist zum Beispiel, wenn sie den englischsprachigen Inder aus der Serie „The Big Bang Theory" nachmacht. Lachflash vorprogrammiert."

Dazu mein älterer Sohn:

„An zwei typischen, nicht konkreten Alltagsmomenten mit meiner Mutter kann ich wahrscheinlich am besten weitergeben, wie ich sie im Umgang mit geschriebener Sprache erlebt und verstanden habe. Das eine sind kurze ‚Vorlesemomente', die es mit uns (meinem Bruder und mir) als Kinder natürlich oft gegeben hat – als bildhaftes Beispiel kommt mir hier das liebevolle und verspielte Vorlesen von einer Info-Tafel in einem Naturschutzgebiet oder einfach im Wald in den Sinn. Hier erinnere ich mich, dass ich selbst als kleiner Junge immer mal ein kurzes Stocken und Innehalten in ihrem Lesefluss bemerkt habe, was mir selbst auch etwas fremd und überraschend erschien, weil ihre mütter-

liche Autorität für ein paar Momente verloren schien. Dass dies natürlich nicht wirklich der Fall war, weil mütterliche Autorität für mich von Grund auf im Gefühl, in der Vorstellungskraft und zwischen den Worten liegt und wahrscheinlich in diesen Momenten sogar auf eine Art größer gewesen ist, ist mir erst heute klar. Kreativität, bildhafte, lebendige Kommunikation und auch eine gewisse nonkonforme, verrückte Sicht auf die Welt sind Qualitäten von meiner Mutter.

Als zweites Beispiel möchte ich auf die Schwierigkeiten eingehen, die sich für mich ergeben haben, wenn ich ihr etwa nach der Schule einen Aufsatz gezeigt habe – meistens mit einer guten Note und mit vielen, gerne auch verschachtelten Satzkonstruktionen. Wenn sie den Text in meiner Anwesenheit durchgegangen ist und ihn halblaut und mehr für sich als für mich vorgelesen hat, konnte ich auch immer wieder dieses Innehalten wahrnehmen. Ich war an dieser Stelle schneller und intuitiver, den Sinn, die Schreibweise und den Satzbau zu erfassen als sie. Ob mit oder ohne Legasthenie ist jedenfalls sicher, dass ich meine Mutter über alles liebe, ohne die Notwendigkeit für in sich poetische Schachtelsätze, im Innehalten und Zögern, genauso wie im Lesefluss und fantasievollen Geistesaustausch. Zu guter Letzt finde ich die Art und Weise, wie sie sich dem Thema der Legasthenie annähert, toll und mutig und hoffe, dass es so ein bisschen mehr Beachtung und Raum bekommt und auch mal mit anderen Augen als sonst betrachtet werden darf.“

Meine Söhne hatten mich als nicht diagnostizierte legasthenische Mutter erlebt. Heute, 20 Jahre später, bringen sie mir kein Buch mehr mit. Eigentlich schade, denn heute bin ich von dem Druck befreit, den ich damals noch nicht abschütteln konnte, ich war darin gefangen. Eines Tages besuchte ich eine befreundete Mutter, ebenfalls Schauspielerin. Damals drückten mir die Kinder noch ein Buch in die Hand und das unvermittelt, ich sollte vorlesen. Meine Freundin stand etwas abseits und bügelte. Ich fühlte mich in der Falle und empfand plötzlich wahnsinnige Scham. Innerlich zitterte ich vor Aufregung. In Anwesenheit einer Schauspielkollegin musste mein Vortrag über alle Maße brillant werden. Dummerweise kannte ich das Buch noch nicht, ich konnte mich an nichts festhalten. Ich befürchtete den fragenden Blick meiner Freundin, der sich mit Sicherheit in meinen Nacken bohren würde. Die alte Angst, ertappt zu werden, hatte mich in ihrem unerbittlichen Griff. Meine Freundin würde mich entlarven. Stockend begann ich zu lesen. Unwillkürlich hatte ich mich in meinem Sessel kleiner gemacht, meine alte Taktik, die zu einem unbewussten Automatismus geworden war. Ich hatte gerade noch genug Luft zum Vorlesen. Zu meinem Glück verloren die Kinder schnell das Interesse, und die bügelnde „Scharfrichterin" hatte mein Gestotter nicht bemerkt. Sie war konzentriert bei ihrer Hausarbeit geblieben, und die Wäsche war mittlerweile fertig zusammengelegt.

Mein innerer Kampf war verborgen geblieben, ich war eine Meisterin, diese Seite von mir versteckt zu halten, das war mein Überlebensmodus. Allerdings war dieses Ereignis eine Art Initialzündung. In meiner dunkelsten Vorlesestunde begann ein Licht zu scheinen.

Das erste Mal in meinem Leben gestand ich mir ein, dass ich wohl eine Schwäche in mir trage, die andere Menschen nicht haben. Wenn man wie ich so lange damit beschäftigt war, sich zu verstecken, beginnt man auch sich vor sich selbst zu verstecken, und erkennt das Offensichtliche nicht. Jetzt öffnete ich endlich meine Augen. In verschiedenen Zusammenhängen begegnete mir plötzlich der Begriff „Legasthenie“. Ich sah beispielsweise im Fernsehen eine Reportage darüber und mir dämmerte, was Sache war. Allmählich konnte ich dem stockenden Kind in mir einen Namen geben. Ich war frustriert darüber zu erfahren, wie Legastheniker:innen sich entwickeln können, wenn sie die richtige Unterstützung bekommen. Ich malte mir aus, wie mein Leben auch anders hätte verlaufen können. Vielleicht hätte ein Medizinstudium im Bereich des Möglichen gelegen, dafür hatte ich immer ein Interesse gehabt. Natürlich war ich glücklich in meinem Beruf, doch mir waren offensichtlich einige Chancen vorenthalten worden.

Jahre später sah ich den Film „A Mind of Her Own“. Eine junge Schülerin träumt von einem Medizinstudium, aber niemand glaubt an sie, weil sie Legasthenikerin ist. Sie bekommt zwar etwas Förderung, doch sie will mehr und schafft das Unmögliche. Ihr Ehrgeiz und ihr unbändiger Wille bringen sie ans College und zum Studium der Medizin. Ein einfach gemachter Film, der eine wahre Geschichte erzählt, die mich innerlich zutiefst bewegt hat. In der Protagonistin erkannte ich mich selbst wieder, in ihrem unbedingten Willen und ihrem bahnbrechenden Ehrgeiz, sich trotz Handicap zu verwirklichen. Außerdem war sie Engländerin und legte ein ganz ähnliches Verhalten wie ich an den Tag.

Der Diagnose-Begriff „Legasthenie“ selbst war mir in meiner damaligen Annäherung an meine Prägung gar nicht so wichtig, aber es berührte mich zu erkennen, womit ich es schon von Kindesbeinen an zu tun hatte. Mit meinen strukturellen legasthenischen Schwierigkeiten hatte ich längst meinen individuellen Umgang gefunden. Ich hatte mich selbst an den Haaren aus dem Sumpf gezogen, sodass ich mich beruflich als Schauspielerin entfalten konnte.

Die Beeinträchtigungen meiner Persönlichkeit brachte ich damals noch nicht mit der Legasthenie in Verbindung. Doch Stück für Stück wurden mir die Zusammenhänge bewusster. Ich wurde nachts des Öfteren von Albträumen heimgesucht, als meine Kinder in die Schule kamen. Es kam mir so vor, als ob ich an ihrer Stelle selbst in die Schule gehen musste, um Prüfungen zu schreiben, um mein Abitur nachzuholen. Das waren erste Hinweise. Meine Träume offenbarten mir, wie tief meine schulischen Belastungen in meine Seele eingestanzt waren und wie sehr meine vergangenen Erfahrungen meine Gegenwart mitbestimmten. Träume wie diese sind nie ganz von mir gewichen. Gerade wenn ich mehr Stress im Leben habe, kann es passieren, dass ich morgens mit nächtlich erlebtem Prüfungsdruck erwache.

AMBROSISCHE STUNDEN

Es wurde spürbar ruhig im Raum. Alle lagen auf dem Rücken im sogenannten Shavasana, in der abschließenden Tiefenentspannung am Ende einer Yogastunde. Die Gruppe bestand aus werdenden Müttern. Alle hatten jetzt die Augen geschlossen und atmeten ohne Anstrengung. Ich hatte meditative Musik aufgelegt, die das Loslassen unterstützen sollte. Die Mütter lagen auf der Seite oder saßen von Polstern gestützt in einer entspannten aufrechten Position.

Ich war Anfang 30. Ich war immer noch Legasthenikerin, Schauspielerin, Mutter eines siebenjährigen und eines sechsjährigen Sohnes, seit Kurzem war ich Yogalehrerin für Schwangere und leitete Geburtsvorbereitungskurse zusätzlich zu meinen Rollen beim Fernsehen.

Mein zweiter Sohn hatte mich zum Yoga gebracht, lange bevor er sprechen konnte, ja bevor er auf die Welt kam. Die Geburt meines ersten Sohnes war überwältigend gewesen, allerdings war ich völlig unvorbereitet hineingestolpert. Ich war jung, es gab noch kein Internet, um sich auf einfachem Weg Informationen zu verschaffen. Ich war gar nicht auf die Idee gekommen, mich auf das Gebären vorzubereiten. Beim zweiten Mal wollte ich alles bewusster erleben. Irgendwie bin ich damals bei einem Yogakurs für Schwangere gelandet, ob durch einen Flyer oder die Empfehlung einer Freundin, weiß ich nicht mehr. Auch ich war in diesem Kurs auf der Seite im Shavasana gelegen, meinen Bauch in meinen Armen haltend.

Mein Sohn war tagsüber immer aktiv, hat getreten und geboxt. Doch wenn ich einmal die Woche in der Tiefenentspannung auf dem Boden lag, waren seine Bewegungen völlig verändert. Ganz sanft konnte ich dann seine Fäustchen von innen meine Bauchwand streicheln fühlen. Als ob mein Lösgelöstsein auch auf ihn übergehen würde. Unsere Yogalehrerin ließ zu dieser Entspannung immer das sanfte Rauschen von Wellen erklingen, in die sich Delfinklänge mischten. Auf mich wirkte es damals, als würde mein Sohn sich zu diesen Klängen bewegen, als würde er behutsam von den

Tönen des Meeres geschaukelt. Männer können leider nicht nachempfinden, wie es sich anfühlt, Leben in sich zu tragen. Eine Intensität der Verbundenheit, die nicht in Worte zu fassen ist. Wenn mein Sohn während der Tiefenentspannung, poetisch ausgedrückt, mit seinen Freunden, den Delfinen, schwamm, fühlte ich mich eins mit ihm.

Diese Erfahrungen hatten mich tief in meinem Herzen bewegt. Mit Yoga weiterzumachen war eine fraglose Selbstverständlichkeit. Im Verlauf entwickelte es sich zu einer wichtigen und wesentlichen alltäglichen Ressource. Zwar erfüllte mein Familiennest eine lang gehegte Sehnsucht, doch ich konnte den inneren Druck nicht abstellen, der sich in mir eingebrannt hatte. Es war wie ein zäher, alter Kaugummi, der an mir klebte. Ich wurde die Folgeerscheinungen der belastenden Schulerfahrungen einfach nicht los. Die mich anpeitschende Perfektionistin, mit der ich meist unbewusst versuchte, meine Versagensängste in Schach zu halten, führte ein strenges Regiment in mir. Ich durfte als Mutter nicht versagen, musste nicht nur beim Vorlesen perfekt sein. Mutter zu sein war so immer wieder mit unangenehmen Hindernissen verbunden. Wenn alles perfekt war, konnte ich mich entspannen. Dann war ich erfüllt davon, meine Kinder beim Heranwachsen zu begleiten. Doch hinter so mancher Ecke lauerte mein alter Druck, der günstige Gelegenheiten nutzte, um mir die Gegenwart zu erschweren.

Im Yoga erlebte ich, wie ich über den Körper Einfluss auf meinen inneren Zustand nehmen konnte. Die Stunden waren Oasen der Ruhe und Entspannung. Die Übungen halfen mir loszulassen. Häufig kam ich in Kontakt mit tieferer Gelassenheit. Dann war alles sutsche, wie wir in Hamburg sagen.

1972 Sunshine Music in Hameln
Der Schallplatten- und Posterladen meiner Eltern

Winter 1972
Meine beiden Hippie-Eltern

September 1975 – Mit meiner Mutter in der Heide
„Look at the little fairys."

Winter 1978
Meine Berliner Oma – „Flieg, meene Kleene!"

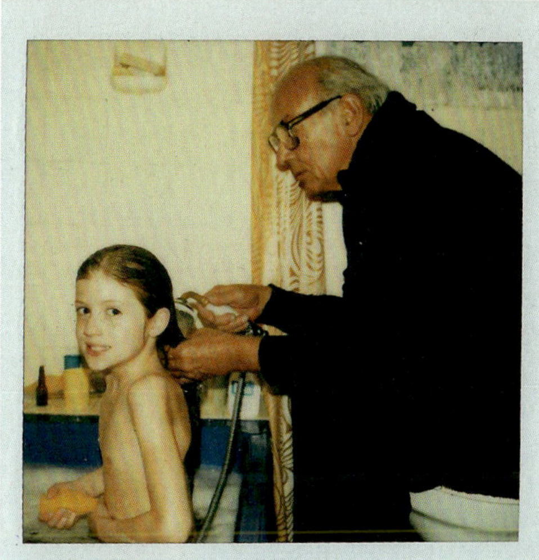

1980
„Nur Opa darf mir die Haare waschen!“

1977 Hamburg-Winterhude
„It’s showtime!“

1979 Erster Schultag
Da hatte ich noch keine
Ahnung von fliegenden
Buchstaben

1983
Träume vom Schwanensee

1988 Michael Hall School East Sussex
Der Geist der alten Dame lässt grüßen

1988 Schule in England
Girls just want to have fun

Frühling 1995 Esalen
Big Sur an der kalifornischen Westküste

1996 Im Garten von „Klein-Esalen“
Kurz vor der Geburt meines ersten Sohnes

1998 Mit meinem Vater
Auf einem Studio Hamburg Empfang

2018 Indien – am Fuße des Himalaya
Nach acht Tagen alleine und gelegentlichem Affenbesuch

Dezember 2020
Die „Eiskönigin“ nach dem
Cold Water Dipping

2021
Schriftstellerei

Heute ist mir klar, warum Yoga mich so gut unterstützte, warum ich über meinen Körper erheblichen Einfluss auf meine inneren Zustände nehmen konnte. Hast du schon einmal von dem Konzept des Körperpanzers gehört? Zugegebenermaßen ein etwas martialischer Begriff, doch die Theorie dahinter ist mehr als einleuchtend. Sie stellt einen Zusammenhang von unserem Körper zu unserem emotionalen Erleben her. Körper und Gefühle arbeiten als eine Einheit zusammen. Die Verdrängung von Gefühlen ist demnach auch mit einem körperlichen Vorgang verknüpft. Unser muskuläres System ist am Verdrängen beteiligt. Vielleicht kennst du Situationen, in denen intensivere Gefühle in dir aufsteigen – unwillkürlich hältst du ein wenig die Luft an. Den Atem einzubremsen ist eine hervorragende Möglichkeit, Gefühle zurückzuhalten. Unser Zwerchfell ist in diesem Fall der muskuläre Anteil der emotionalen Zurückhaltung.

Die sogenannte Atembremse ist ein Klassiker. Ich kenne keinen Menschen, der sie nicht in seinem Repertoire der Verdrängungsmechanismen hätte. Wie ist es bei dir mit Schulter- und Nackenverspannungen? Auch dieser Bereich gehört zu den Klassikern. Wenn keine strukturellen Probleme vorliegen, sind unbewusste Gefühle, die wir im Nacken festhalten, oft eine heiße Spur. Der Volksmund weiß davon – mir sitzt die Angst im Nacken.

Ich hatte während meines Heranwachsens genug Stress erlebt, genug unangenehme innere Gefühlszustände, die ich gelernt hatte zu verdrängen. Ich hatte mir eine vorzügliche muskuläre Panzerung zugelegt. Meine Perfektionistin forderte ihren angespannten Tribut. Das Yoga war in dieser

Hinsicht ein Segen für mich. Es half mir dabei, in meinem Alltag zu mehr Gelassenheit zu finden. Ich konnte auch mal fünfe gerade sein lassen und mehr darauf vertrauen, dass für meine Kinder die Welt nicht untergeht, wenn das Essen mal zehn Minuten später als gewohnt auf dem Tisch stand.

Faktisch war ja nur meine Welt untergegangen.

Als mein Zweitgeborener vier Jahre alt war, entschloss ich mich, mich zur Yogalehrerin für Schwangere ausbilden zu lassen.

Und nun lag meine Gruppe im Shavasana. Es war eine intensive Stunde gewesen. Das spezielle Yoga zur Geburtsvorbereitung beinhaltete eine wirklich herausfordernde Praxis, die darauf abzielte, einen bewussten Umgang mit körperlichen Schmerzen zu erlernen.

Die Übung war denkbar einfach. Die Frauen mussten lediglich ihre Arme waagerecht nach links und rechts ausstrecken und in dieser Position verweilen. Von Stunde zu Stunde erhöhten wir die Zeitspanne. Heute waren wir bei zehn Minuten angekommen. Das kann ziemlich schmerzhaft werden, wenngleich noch meilenweit vom Schmerz des Gebärens entfernt. Für die werdenden Mütter geht es darum, sich von ihren körperlichen Zuständen nicht fortreißen zu lassen. Sie trainierten ihren Atem und ihre Stimme zu nutzen, um durch den Schmerz hindurchzugehen. Es waren allesamt Frauen, die, wie ich damals, den unbedingten Wunsch in sich trugen, die Geburt ihres Kindes so bewusst wie möglich zu erleben. Dies bedeutet mehr Vorbereitung, mehr bewusstes Training. Und diese Übung war immerhin eine Annäherung. Alle hatten es wunderbar gemacht. Aufrecht und stolz waren sie in ihrem Schmerz gesessen, hatten ihre Arme in der Waagerechten gehalten, geatmet und getönt.

Den Atem zu nutzen, um schwierige innere Zustände zu meistern, war für mich neben der Gelassenheit die zweite wesentliche Bereicherung, die Yoga damals in mein Leben brachte. Fortan nutzte ich meinen Atem bewusster, um auftauchende Stresszustände besser zu regulieren. Doch erschloss sich mir durch Yoga zudem eine Tiefendimension, die mein Leben noch weitaus mehr bereicherte als die Entspannung meines Körperpanzers und die Regulierung von Stress mittels meines Atems.

Im Ursprung ist Yoga eine zutiefst spirituelle Angelegenheit. Sie dient dazu, den Körper auf die Meditationspraxis vorzubereiten. Sozusagen das Haus zu reinigen oder poetischer: den Tempel, wenn man den Körper als solchen begreifen möchte, wenn er nicht nur eine Maschine ist, die uns von A nach B bringt. In der Meditation wird dein Körper zu deinem spirituellen Haus, du hast ihn überall dabei, du kannst überall in Stille sitzen, du bist selbst die Kirche oder die Moschee oder eben der Tempel. Meditation ist in verschiedenen Formen schon seit Jahrtausenden eine Praxis der Mystiker, derjenigen Menschen, die über den religiösen Glauben hinausgehen, die die Sehnsucht nach direkter spiritueller Erfahrung in sich tragen. Auch ich hatte schon immer ein spirituelles Interesse. Beim Yoga fand ich erste Antworten.

Anfang der 2000er-Jahre besuchte ich das European Kundalini Yoga Festival in der Nähe von Paris. Kundalini Yoga ist eine der vielen unterschiedlichen Yogarichtungen und es war die Form, die ich damals seit einigen Jahren praktiziert hatte.

Das Festival war ein bisschen wie ein bunter Jahrmarkt, zumindest vordergründig. An die 2000 Kundalini Yogis aus aller Welt, viele ganz in Weiß gekleidet, mit ebenfalls weißen Turbanen auf dem Kopf, die ein exotisches Flair verbreiteten. Dazwischen bunt gekleidete, barfuß laufende, oft jüngere Menschen, die an längst vergangene Hippiezeiten erinnerten. Fast alle Besucher:innen schliefen in Zelten. Es gab eine riesige Feldküche, in der alle Teilnehmenden während der Festivalzeit ihren Dienst taten.

Mitzuarbeiten war Teil der Veranstaltung. Es wurde als spirituelle Praxis begriffen, um sich im Geben und Dienen zu üben und nicht nur zu nehmen.

Die spirituelle Ausrichtung war das grundlegende Fundament hinter all dem wilden Treiben. Nie zuvor war ich so vielen Menschen begegnet, die ihrer spirituellen Sehnsucht derartig hingebungsvoll und treu folgten, ohne dabei fanatisch oder ausgrenzend zu sein. Ganz im Gegenteil war das Miteinander von Achtsamkeit und Empathie geprägt. Jeder war willkommen.

Der Tag begann um drei Uhr morgens. So hatte ich mir die Umsetzung meiner spirituellen Sehnsucht zu Beginn nicht vorgestellt. Ich war hundemüde, als ich am ersten Tag aus meinem Zelt krabbelte. Wach geworden war ich durch Gitarre und Gesang. Einer der Yogalehrer übernahm seit Jahren den Weckdienst. Begleitet von einer meist gut gelaunten Gruppe liefen sie singend und die Seiten zupfend durch die Dunkelheit der Zeltstadt – „Wake up, rise up …“.

Die frühen Morgenstunden zwischen 3:30 und 6:30 werden als die ambrosischen Stunden bezeichnet. In dieser Zeit sind wir scheinbar so pur und unmittelbar wie zu keiner anderen Zeit des Tages. Deshalb trafen sich alle Anwesenden schon so früh auf einer großen Wiese zur gemeinsamen Praxis. Das bedeutete Yoga, Meditation und Gesang. Das Singen von Mantras, die eine Art gesungenes Gebet sind, war ein wesentlicher Bestandteil des Kundalini Yoga. Ich liebte es, obwohl ich nicht singen kann. Ich musste mir irgendwann eingestehen, dass ich mir diese Fähigkeit auch nicht Kraft meines Willens erschließen konnte. Ich bin ein hoffnungsloser Fall.

Doch an diesem ersten Morgen auf dem Yogafestival, nun schon etwas wacher, saß ich bei beginnender Dämmerung auf der feuchten Wiese und sang, schräg zwar, aber hingebungsvoll all die schönen Mantras. Nachdem die Müdigkeit etwas verflogen war, genoss ich den frühen Start in den Tag. Gemeinsam mit so vielen Menschen die Stille der Meditation zu teilen, Atemübungen zu praktizieren und den Sonnenaufgang mit Mantras zu begrüßen, ließ mich innerlich fliegen. Ich fühlte eine Mischung von tiefer Ruhe und aufgeregter Freude, die mich das ganze Festival über begleiten sollte.

Die folgenden Tage waren erfüllt von Yogapraxis, Meditation und Gesang. Nicht zu vergessen der Dienst der Arbeit. Die Zusammenarbeit fand in einem ganz ähnlichen Geist statt, wie ich ihn in Kalifornien erlebt hatte.

Die Zeit in Frankreich war eine wunderschöne Erfahrung und bereicherte nachhaltig meinen Alltag. Meditation und Yoga wurden als eine selbstverständliche spirituelle Praxis Teil meines täglichen Lebens. Ein Geschenk der Sinnhaftigkeit.

Aaron Antonovsky, ein israelisch-amerikanischer Professor der Soziologie, definierte den Begriff des „Sense of

Coherence“ (SOC), zu Deutsch „Kohärenzsinn“, welcher die Fähigkeit eines Menschen beschreibt, die ihm gebotenen Ressourcen zu nutzen, um sich gesund zu halten. Der Kohärenzsinn umfasst drei wesentliche Merkmale:

Die Fähigkeit, die Zusammenhänge des Lebens zu verstehen – das Gefühl der Verstehbarkeit.

Ein einfaches Beispiel: Wenn du in deinem Leben immer wieder dieselben Situationen wiederholst und nicht weißt, warum, dann bleiben dir die Zusammenhänge ein Rätsel. Hast du sie erkannt, verstehst du dein Leben besser.

Die Überzeugung, das eigene Leben gestalten zu können – das Gefühl der Bewältigbarkeit.

Wer kennt das nicht. Plötzlich stehst du in deinem Leben vor einem Berg. Wenn du den ein oder anderen Berg in deinem Leben gemeistert hast, lässt das dein Selbstvertrauen wachsen. Dein Leben wird dadurch im Normalfall bewältigbarer. Wenn du an Herausforderungen wiederholt gescheitert bist, hat dies häufig den gegenteiligen Effekt.

Zu guter Letzt der Eindruck von Bedeutsamkeit im Leben – das Gefühl von Sinnhaftigkeit.

Ich glaube, dazu muss nicht viel gesagt werden, ohne Sinn bleibt das Leben in meinen Augen leer.

Ich mag dieses Konzept und dort ordne ich meine Liebe für Spiritualität ein. Meditation, Yoga und Mantras erfüllten mein Herz mit Freude und Sinn. Ich glaube, darum geht es im Kern. Zu verwirklichen, was dir tief im Herzen Freude bereitet. Das lässt uns gesünder und glücklicher sein. Zumindest entspricht dies meiner Erfahrung.

AM SET

Ich blicke auf über 30 Jahre Karriere als Schauspielerin zurück. Eine Entwicklung von mädchenhafter Schüchternheit und scheuer Zurückhaltung hin zu professioneller Routine.

Gerade meine Anfangsjahre waren von Ambivalenz geprägt. Zum einen durfte ich tun, was mir schon immer Spaß gemacht hatte, zum anderen fühlte ich mich ein wenig wie ein verängstigtes Küken. Meist war ich tatsächlich die Jüngste am Set, in einer höchst professionellen Umgebung. Was hatte ich schon vorzuweisen, außer meiner Passion, dem Theater an der Schule, als klassischer Abschluss der achten Klasse, und meinem jahrelang in verschiedenste Bühnen umgebauten Kinderzimmer? Ich schwamm in kaltem Wasser. Vielleicht erinnerst du dich daran, wie ich in dieser Zeit kontinuierlich versuchte, mit der Lässigkeit, den Sprüchen, den Witzen, die gerissen wurden, einigermaßen Schritt zu halten. Alle Kolleg:innen waren scheinbar gesegnet mit Schlagfertigkeit, nur ich nicht. Wenn ich mich an einem Set wohlfühlte, war die Welt einigermaßen in Ordnung. Wenn das Gegenteil der Fall war, war ich innerlich am Ringen. Zwar setzte ich dann meine Mitmachermaske auf, tat so, als wäre ich cool, doch mein Lächeln war gezwungen.

Es kommt nicht selten vor, dass man einen Schauspielkollegen frühmorgens in der Maske kennenlernt und eine halbe Stunde später dreht man zusammen eine aufregende Liebesszene, während zwei Dutzend Leute drum herumstehen. Das alleine konnte in meinen Anfängen schon eine große Herausforderung sein. Wenn ich zusätzlich mit meiner angespannten Introvertiertheit kämpfte, wurde es doppelt schwierig. Das erste Mal vor der Kamera Haut zu zeigen, das Küken war am Zittern. Im Film wirken diese Szenen so selbstverständlich wie das Normalste auf der Welt. Mich hat es enorm viel Mut gekostet, als junge Frau nackt gefilmt zu werden. Oder der erste Kuss vor der Kamera. Ich spielte eine Geisel, die sich in ihren Entführer verliebt. Schauplatz war eine eiskalte Zeche: Mein Kollege, der den Entführer spielte, zog mich zuerst aus, wobei ich nicht vollständig gezeigt wurde. Aber der Kuss war dann eine Nahaufnahme mit nacktem Oberkörper. Romantisch war das nicht, ich glich einem Eiszapfen, der zusätzlich in kaltem Wasser schwamm. Als 18-Jährige hatte ich noch kein Quäntchen Selbstfürsorge.

Darin war ich bis zu diesem Punkt in meinem Leben nicht unterstützt worden. Ich kam damals gar nicht auf die Idee, um eine Decke zu bieten oder um einen warmen Tee zum Aufwärmen. Gerade ich, die zierliche Person, die ich war. Ich fror erbärmlich, biss die Zähne zusammen und verhielt mich lieb und nett. Zusätzlich die Schambewältigung mit der Brechstange. Der leidenschaftliche Kuss vor versammelter Mannschaft, alle in warme Daunenjacken gehüllt. Klar, es war keine Sexszene, doch ich war noch kein routinierter, abgebrühter Profi, der solche Szenen einfach aus dem Ärmel schüttelt.

In meinen ersten Berufsjahren bis zum Tod meiner Mutter ging es letztlich wieder darum, Herausforderungen größtenteils alleine zu bewältigen. Denn am Set ist keine Zeit für Befindlichkeiten. Du musst funktionieren. Von dir wird selbstverständlich erwartet, dass du deinen Job machst, du vor der Kamera alle Gefühle zeigst, welche die Rollen so lebendig werden lassen. Ob bestimmte Szenen für dich mit Scham oder Angst verbunden sind, interessiert die meisten nicht. Zum Glück gab es immer jemanden im Team, meist eine Frau, die sich meiner annahm, die ein Herz für junge Vögelchen hatte. So wurde mir in den stressigen Situationen der ersten Jahre auch ein Geschenk zuteil. Ich wurde nicht mehr völlig alleingelassen. Es gab immer eine herzliche Garderobiere oder eine Regieassistentin, die mir fürsorglich zur Seite stand.

Die durch den viel zu frühen Tod meiner Mutter verursachte Lebenskrise verhalf mir beruflich zu einem Entwicklungsschub. Ich hatte eine Schattenwelt durchschritten und war gestärkt daraus hervorgegangen. Fast direkt hinein in die Mutterschaft, die mich trotz der Herausforderungen zusätzlich persönlich stärker machte. Ich hatte begonnen, Selbstvertrauen zu entwickeln, Verantwortung zu übernehmen und gezielter meinen Bedürfnissen und Träumen zu folgen. Dies bedeutete auch zu erkennen, dass Nutellabrote als Frühstück zur Mittagszeit nicht meinem Lebensentwurf entsprachen, obwohl ich die nächtliche Arbeit von Informatikern durchaus schätze.

Die aufkeimende Selbstverständlichkeit trug ich in meinen beruflichen Alltag. Das Küken mauserte sich. Szenische Herausforderungen konnten so zu einer Bereicherung für meinen Alltag werden. Ich erinnere mich an eine Einstellung, in der ein kleiner Hund einbezogen war, der auf mich losgehen sollte. Ein trainierter Filmhund, der gelernt hatte, so zu tun, als würde er Menschen angreifen. Ich bin von meinem Wesen her mehr der Katzentyp, und damals waren mir Hunde nicht ganz geheuer, vor allem kleine. Ich befürchtete, in die Wade gebissen zu werden. Und genau darum ging es in der Szene. Ich weiß heute noch, wie bewusst ich damals eine Entscheidung traf. Wie ich mich entschloss, dem Hund und seinem Trainer zu vertrauen. Natürlich ging alles glatt, meine Waden blieben verschont. Daraus wurde eine kleine Lernerfahrung für mich, die ich mit in meinen Alltag nehmen konnte. Ich hatte eine klare Entscheidung gegen meine Angst und für meinen Mut getroffen.

Kennst du das Komfortzonenmodell? Es ist ein einfaches Modell, das beinhaltet, in welchen inneren Zuständen wir lernen und wo die Grenzen liegen. Es gibt die Komfortzone. Da steht das Sofa, alles ist vertraut und gewohnt. Dort fühlen wir uns sicher und im besten Fall geborgen. Die Komfortzone ist ein guter und gemütlicher Ort. Problematisch wird dieser erst, wenn wir das Sofa nicht mehr verlassen. Leben ist Bewegung, ein Teil in uns möchte wachsen, Neues entdecken und sich deshalb immer wieder in die Lernzone bewegen. Hier wird es aufregend, vielleicht auch ein wenig unsicher, da wir Neuland betreten. Wir haben die Segel gehisst und stechen in See, um das Meer zu erkunden. Nach der Lernzone kommt die Panikzone. Wir sind in einen gewaltigen Sturm gesegelt, der uns überfordert. Der einzige Lerninhalt dieser Zone ist, dass wir in diesem Bereich nichts mehr lernen und ihm besser fernbleiben. Meine frühen Herausforderungen am Set fanden häufig in der Panikzone statt. Ich konnte zwar den Anforderungen entsprechen, doch innerlich war ich erstarrt. Im Panikmodus geschieht kein Transfer in den Alltag. Wir machen zwar eine Erfahrung, lernen aber nichts dabei. Lernen können wir nur in der

Lernzone, und das bezieht sich auch auf die Reifung und Entwicklung unserer Persönlichkeit. Dem kleinen Hund bin ich heute sehr dankbar, er hatte in meiner Lernzone auf mich gewartet.

Auch mich selbst und meine Bedürfnisse bewusster kennenzulernen, Methoden in meinen Berufsalltag zu integrieren, die unterstützend für mich waren, die zu meiner Entspannung beitrugen oder mir Kraft gaben, waren weitere berufliche Entwicklungsschritte. Stück für Stück erlernte ich Selbstfürsorge. Je mehr Druck und Frustration du in deiner Kindheit erlebt hast, desto weniger bist du meist mit deinen Bedürfnissen in Kontakt. Du hast unbewusst gelernt, dich selbst zu übergehen. Das betrifft natürlich nicht nur Menschen wie mich, die ein Handicap haben. Ich kenne niemanden, der nicht sein Päckchen mitbekommen hat, durch zu wenig Zuwendung, lieblose Behandlung, Beschränkung der Autonomie, aggressive Bestrafungen. Die Liste ließe sich meilenweit fortführen. Die Leistungsausprägung, die schon in unseren Schulen beginnt, setzt noch einen obendrauf.

Damals habe ich begonnen, kleine Rituale einzuführen und Gewohnheiten zu etablieren, die mich immer wieder Station bei mir selbst machen ließen. Ich begann, meine Yogapraxis in meinen beruflichen Alltag einzubinden. Gleich am Morgen nach dem Aufstehen ein paar Sonnengrüße. Der Sonnengruß ist eine der bekanntesten Bewegungsabfolgen im Yoga und eignet sich hervorragend, um den Tag damit zu beginnen. Der ganze Körper kommt in Bewegung, wird gedehnt. Wenn du etwas erfahrener damit bist, wird auch die Atmung noch sehr intensiv einbezogen.

Am Set begann ich, mehr auf meine Befindlichkeiten zu achten. War mir kalt, ließ ich mir sofort eine Decke holen oder einen warmen Tee bringen. Als Hauptdarstellerin musst du auf die Arbeit konzentriert bleiben, es ist ganz normal, sich von einem anwesenden Assistenten etwas bringen zu lassen. Du wirst deshalb nicht zur Diva. Ich lernte lediglich, meine Position ernster zu nehmen und besser für mich zu sorgen. Manchmal erforderte die Umsetzung meiner Selbstfürsorge ein wenig Disziplin, aber davon hatte ich ja mehr als genug. Die verschiedenen Drehzeiten richteten sich selten nach meinem Biorhythmus, daher musste ich meine kleinen Rituale und Gewohnheiten oft ein wenig anpassen.

Mein Repertoire an unterstützenden Tools ist mit den Jahren reichhaltiger geworden, Neues kommt dazu, Altes wird verworfen oder für eine Weile geparkt. Eine Weile lang las ich morgens den Jahresbegleiter „Ankommen im Jetzt!" von Mark Nepo, einem amerikanischen Dichter und Krebsüberlebenden. Seine Reflexionstexte sind nicht nur tiefgründig und substanziell, berührend und gütig, sondern er liefert auch viele kleine praktische Anregungen, die mich inspirierten und die ich gerne mit in meinen Tag nahm. Ein anderes Tool, das in diesem Fall meine Muskeln weich werden lässt, ist mein mobiles „Nagelbrett". Seit Längerem habe ich es zu jedem Dreh dabei. In 15 Minuten zur Tiefenentspannung. Dazu mehr in der Toolbox.

Der nächste große Entwicklungsschub kam mit Mitte 30 auf mich zu. Mein Ehemann und ich hatten uns über die letzten Jahre unbewusst im Wegschauen geübt. An der Oberfläche schien alles in Ordnung. Die Kinder entwickelten sich prächtig. Mein Mann war beruflich erfolgreich, und auch ich startete mehr und mehr durch. Ich war seit ein paar Jahren als Kommissarin in der ZDF-Reihe „Der Staatsanwalt“ zu sehen. Das Format wurde jedes Jahr umfangreicher und ich drehte so viel wie noch nie in meinem bisherigen Leben. Wir hatten unsere unterschiedlichen Lebensentwürfe, unsere unterschiedlichen Vorlieben und Bedürfnisse zu lange ignoriert. Noch immer waren wir uns zugeneigt, eigentlich kann ich sagen, wir liebten uns noch immer, doch trotzdem hatten wir uns auseinandergelebt.

Uns das einzugestehen, führte zu einem äußerst schmerzhaften Ablösungsprozess. Für mich war es, als würde ich aus dem Nest geworfen. Er war mein Fels in der Brandung gewesen. Er war zuverlässig und beständig. An ihn hatte ich mich vertrauensvoll anlehnen können. Ich war froh gewesen, nicht so viel Verantwortung tragen zu müssen, und er hatte sie bereitwillig übernommen.

Jetzt war ich herausgefordert, selbst meine Frau zu stehen. Heute sehe ich dies als eines meiner zentralen Lebensthemen. Zu mir zu stehen, Verantwortung für mein Handeln zu übernehmen, Verantwortung zu tragen, auch wenn sie unangenehm ist. Die damalige Trennung von meinem Mann hat einen Stein ins Rollen gebracht, der immer noch in Bewegung ist. Damals wurde ein Entwicklungsprozess angestoßen, der bis heute anhält. Mich Stück für Stück so anzunehmen, wie ich bin. Mit meinen Stärken und meinen Schwächen. Mich nicht mehr zu verstecken, meiner gut trainierten Meisterin der Verdrängung nicht ständig das Steuer zu überlassen, in unangenehmen Situationen, metaphorisch gesehen, nicht mehr die Kajüte zu verlassen, um an Deck zu flüchten. Du erinnerst dich an meine Erlebnisse mit den Leseratten während des Segeltörns auf dem IJsselmeer?

Kein stummes Hinausschleichen mehr, sobald es schwierig wird, sondern dableiben im Ringen um eine ehrliche Antwort. Jetzt kann ich sagen, dass ich zutiefst dankbar für diese kontinuierliche Entwicklung bin, die mich hat reifen und wachsen lassen. Ich trage nicht mehr so viele Altlasten in meinem Rucksack. Ich konnte mich eines Großteils meines Minderwerts entledigen, viele meiner Ängste am Wegesrand zurücklassen und meinen Perfektionismus auf ein gesundes Maß reduzieren. Wie heißt es so schön – jedem Anfang wohnt ein Zauber inne. Ach, das hätte ich mir gewünscht. Aller Anfang ist schwer, beschreibt den Beginn dieses Wachstumsprozesses wesentlich treffender.

Ich war mittendrin in der dritten großen Krise meines Lebens. Ich war unter Vertrag, wir drehten monatelang, und ich war innerlich damit beschäftigt, meine schmerzlichen Gefühle über die auseinandergebrochene Beziehung zu bewältigen. Ich hatte immer funktioniert, nur als mir meine Mutter entrissen wurde, entglitt mir diese Fähigkeit. Die emotionale Intensität war damals einfach zu hoch gewesen. Doch auch jetzt kam ich wieder an meine Grenzen. Es war nicht dieses abrupte Schockgefühl, das ich mit Anfang 20 erlebt hatte. Es fühlte sich eher wie eine tiefe Erschütterung meiner Basis an. Ich stand auf wackligem Boden. Äußerlich lieferte ich weiterhin meine Arbeitsleistung ab, innerlich rang ich mit meiner Trauer. In manchen Pausen verzog ich mich an stille Orte, mich vor den Kolleg:innen versteckend, um meinen Tränen freien Lauf zu lassen. Das war mein typisches Verhalten: emotionale Untiefen irgendwie alleine bewältigen. Ich investierte unheimlich viel Energie, um mit meiner vermeintlichen Schwäche nicht gesehen zu werden. Ein Zustand wie dieser blieb natürlich nicht unbemerkt, auch wenn ich mich noch so sehr darum bemühte.

Meine Leichtigkeit war mir abhandengekommen. Meine fröhliche und freundliche Art hatte einer angestrengt funktionierenden Marionette Platz gemacht, und das fiel auf. Ich wurde angesprochen und gefragt, ob mit mir alles in Ordnung sei. Es war unübersehbar, dass ich zwar mein berufliches Soll erfüllte, aber gleichzeitig nicht richtig anwesend war. Immer hatte ich funktioniert, alle Schwierigkeiten in einsamen Kämpfen alleine bezwungen. Jetzt ließ sich meine Fassade des Perfektionismus nicht mehr aufrechterhalten. Zu löchrig war sie geworden.

Ich begann, mich mitzuteilen. Das erste Mal in meinem Berufsleben offenbarte ich am Set eine Schwäche. Es war ein gewaltiger Schritt für mein Leben. Dieses kleine Gespräch wurde einer meiner zentralen Wendepunkte, und noch heute empfinde ich tiefe Dankbarkeit für die Kollegin, die mir die Möglichkeit eröffnet hatte, mich endlich auszusprechen. Wie erleichternd es doch sein kann, seinen inneren Zustand einfach nur mitzuteilen! Die Trauer war weiterhin da, aber die Last, mich damit verstecken zu müssen, begann, von mir zu fallen.

In meiner ersten „Karriere" als Schülerin hatte ich mich niemandem anvertraut. Das leer abgegebene Blatt bei der Biologieabschlussprüfung war der Höhepunkt meines damaligen Verhaltens. Diesmal war ich vertraglich verpflichtet. Eine Freundin zu besuchen und von der Rettung eines Schafes zu träumen, war keine Option. Ich konnte nicht ausweichen, war gezwungen, mich dem Engpass zu stellen. Meine persönlichen Schwächen im beruflichen Kontext offen zuzugeben lag bis zu diesem Punkt in meinem Leben ganz klar in meiner Panikzone, jetzt wurde dieser Vorgang ganz allmählich zu meiner Lernzone.

Ich erweiterte meinen Spielraum. Ich hatte mich einigen wenigen vertrauten Kolleg:innen offenbart. Plötzlich war ich auch im Beruf mit meinem inneren Zustand nicht mehr alleine. Ich bekam Unterstützung, liebevolle Zuwendung, fürsorgliche Worte im rechten Moment. Das war ungewohnt für mich, doch gleichzeitig wohltuend. Ich hatte mein bisheriges berufliches Leben wie eine Seiltänzerin bestritten, die sich ein Sicherheitsnetz verbittet. Doch aufgefangen zu werden, ist ein zutiefst menschlicher Akt, das, was wir uns gegenseitig schenken können. Denn das ist es, was wir sind, nämlich soziale Wesen, die sich wechselseitig unterstützen können, privat wie auch im Beruf.

Damals durfte ich erfahren, wie es ist, im Netz zu landen. Wie es mir half, wieder Boden zu gewinnen. Wenn man sich erholt hat, kann man das Netz verlassen und abermals hochklettern. Das Seil wartet auf den nächsten Versuch.

Vermeintliche persönliche Unzulänglichkeiten im professionellen Arbeitsleben einzugestehen war der Beginn, wesentlich mehr zu mir selbst zu stehen. Ich lernte, wie wichtig es ist, mich nicht zu verstecken, und wie mein Selbstvertrauen auf geradezu paradoxe Weise dadurch größer wurde. Ich musste und wollte mich nicht mehr verbiegen wie in den Jahren zuvor. Ich war halt, wie ich war.

Ein paar Jahre später erlebte ich eine Situation, die mir meine innere Entwicklung bestens verdeutlichte. „Der Staatsanwalt" wurde immer erfolgreicher und ich spielte nach wie vor die Rolle der Kommissarin Kerstin Klar. Ich wartete auf mein Zeichen für meinen Auftritt. Es war eine enorm komplexe und aufwendige Szene. Eine Schlägerei in einem Bootshaus am Rhein. Meine Schauspielkollegen hatten sich dafür schon mächtig ins Zeug gelegt, die Fäuste flogen, natürlich koordiniert. Dann endlich, mein Auftritt. Ich erscheine breitbeinig in der Tür, meine Waffe gezogen, mir gegenüber Bösewichte mit erhobenen Fäusten. Ich schreie: „Polizei – Hände runter!"

Das ganze Team ist in Gelächter ausgebrochen. Nach einer peinlichen Sekunde musste auch ich herzhaft mitlachen. Ich war gelassener geworden. Fehler und kleine Schwächen warfen mich nicht mehr aus der Bahn. In meinen frühen Jahren wäre ein Fehler wie dieser eine Todsünde gewesen, die keine Absolution kannte. Vor Scham wäre ich im Boden versunken oder hätte mich am liebsten kopfüber in den Rhein gestürzt. Ja, auch das innere Drama hatte nachgelassen.

Ich wurde zusehends gelassener und entspannter am Set, und dies öffnete mir einige neue Türen. Der Transfer vom Set in den Alltag wurde größer. Die Rollen, die ich spielen durfte, wurden zu kleinen Schätzen, die mein Alltagsleben bereicherten.

Ich lernte beispielsweise von Kerstin Klar, der Kommissarin, in die ich so oft schlüpfte. Sie war eine starke Frau mit eigener Meinung, sie war mutig. Diese Eigenschaften hielten auch in mein Leben Einzug. Ihre Lederjacke wurde ein Teil meiner alltäglichen Haltung, ein bisschen wie eine zweite Haut. Ich wurde furchtloser. Abends in der U-Bahn, früher war ich ängstlich, heute bin ich entspannt, fast so, als würde ich den kleinen Revolver, den ich im Film immer bei mir trug, an meiner Hüfte spüren. Mich verteidigen zu können, ist zu einer selbstverständlichen Kraft in mir geworden. Bei Bedarf kann ich sehr laut und streng werden.

Mein gewachsenes Verantwortungsbewusstsein verdeutlichte mir ein anderer Dreh. Die Arbeiten zum Film fielen in einen Sommer, der außerordentlich heiß war. Es gab eine kurze Szene am Flughafen, in der man sieht, wie ich meine Schwester im Film mit dem Auto dorthin fahre und mich von ihr verabschiede. Alles in allem eine Einstellung von etwa 30 Sekunden. Die Begleitumstände waren wahnsinnig stressig: Kampf um die Drehgenehmigungen, Komparsen im Hintergrund, Fahrzeuge, die nicht ins Bild passten, oder kompliziertere Szenenanschlüsse ... Wir drehten bei laufendem Flugbetrieb. Die Kamera stand im Terminal und schaute uns sozusagen aus der Ferne zu. Alles musste ultraschnell gehen: den fetten Wagen vorfahren, in die Parkbucht einlenken, aussteigen, die Autotür mit Schwung zuwerfen ... Zack! Als die Tür zuknallte, klemmte ich mir den rechten Daumen ein. Das war krass, ich registrierte den Schmerz, meinen entgleisenden Kreislauf, mir wurde leicht übel, Tränen stiegen in mir auf. Früher wäre ich sofort zusammengebrochen, nun spürte ich das in mir gereifte Verantwortungsgefühl.

Ich dachte nur: Das muss jetzt einfach in den Kasten! Wäre ich in diesem Moment eingebrochen, hätte das gesamte Team darunter gelitten. In der nächsten Sekunde rappelte ich mich auf, sammelte all meine Kraft, um auch mein Gesicht nicht zu verziehen – weiterspielen. Ich lief hinten um das Auto herum, während auf der anderen Seite meine Schwester ausstieg. Wir umarmten uns und fertig! Ein Kinderspiel! Dann kam das erlösende „Danke!“ von der Regie. Jetzt konnte ich schreien und tat es. Fünf Minuten später hockte ich vor dem Flughafen-Arzt. Doch wie alle anderen war ich erleichtert. Endlich hatten wir die Szene abgedreht.

Doch keine Entwicklung ohne Rückschläge. Weißt du, was ein Insert ist? Das ist ein Bild in der Szene – die Zuschauer sehen dann in einer Nahaufnahme zum Beispiel ein Dokument auf dem Bildschirm eines Laptops und sie können dort selbst lesen, eine E-Mail oder eine Aktennotiz. Es gab einmal eine Situation am Set, in der ich auf einem solchen Dokumenten-Insert sah, dass das erste Wort der Überschrift mit einem kleinen Buchstaben begann. Ich merkte das an, und jemand, der dafür zuständig war, kam herbei, besah sich die Sache und posaunte genervt in die Runde: „Oh Mann, da sind schon wieder nur Legastheniker am Werk!“ Es war eine bezeichnende Situation, schließlich hatte ich doch den Fehler entdeckt! Ich erschrak und spürte einen Stich in meinem Inneren. So klar hatte ich bisher nie ein Gefühl dafür bekommen, wie es ist, diskriminiert zu werden. Zwar hatte ich viel Mut entwickelt, doch dafür reichte er in diesem Moment leider nicht aus. Ich war noch nicht so weit, mich als Legasthenikerin zu zeigen und für eine bewusstere Sprache einzutreten. Nach Erscheinen dieses Buches wird es mir an Mut, zu meiner Legasthenie zu stehen, sicherlich nicht mehr mangeln. Die gehört nun zu mir.

Zu der Frau, die ich bin.

HIMALAYA

Für eine längere Zeit schweigen? Das hatte ich noch nie gemacht. In Stille sitzen, also in Meditation, kannte ich schon vom Yoga, von den bunten und bereichernden Festivals in Frankreich mit all den vielen Yogis. Aber länger als ein bis zwei Stunden am Stück zu meditieren und nicht zu reden, war noch nicht Teil meiner Erfahrung.

Zusammen mit meinem Lebensgefährten hatte ich mich zu einem dreiwöchigen Retreat in Nepal angemeldet. Von Anbeginn unserer Beziehung teilten wir das gleiche Interesse an Selbsterfahrung. Meditation war auch ihm nicht fremd. Als sich uns die Möglichkeit aufgetan hatte, für drei Wochen für ein Meditationsretreat nach Nepal zu reisen, griffen wir zu. Zusammen mit 100 weiteren Menschen, die dieselbe Begeisterung oder besser gesagt Neugier teilten, würden wir uns auf den weiten Weg machen. Für uns war es ein Abenteuer. Der genaue Ablauf des Retreats war im Vorfeld nicht in allen Details bekannt. Wie lange würden wir in diesen 21 Tagen tatsächlich meditieren und schweigen? Und was packst du ein für eine solche Reise? Wenn du die meiste Zeit im Schneidersitz verbringst, waren Jeans und meine engen Tops wohl nicht gerade die Garderobe der Wahl. Also weite und bequeme Kleidung. Na ja, chic sieht anders aus.

Meine Reise nach Nepal startete am Tag vor dem Abflug. Wir unternahmen einen letzten Spaziergang auf einen Hügel in der Nähe unseres Heims, von dem aus die Alpen zu sehen sind. Gedanklich flog ich in diesem Moment schon zu den schneebedeckten Riesen des Himalaya. Mir stand eine Zeit bevor, die meinen Kohärenzsinn stärken würde. Yoga hatte meinem spirituellen Interesse einige Antworten gegeben, die mein Inneres erfüllten. Das bevorstehende Meditationsretreat würde meinem ganz persönlichen Lebenssinn noch einen großen Schatz hinzufügen. Doch noch stand ich auf einem Hügel in Bayern.

Der eigentliche Flug war so schnell vorbei, wie er angefangen hatte. Klar, wir waren ungefähr zwölf Stunden in der engen Blechröhre gesessen, doch nach diesen zwölf Stunden standen wir in einer anderen Welt. Kathmandu, 6500 Kilometer von unserem Hügel mit Alpenblick entfernt. Nepals zauberhafte und völlig chaotische Hauptstadt.

Zum Glück war die Reise gut organisiert, und vor dem Flughafen wartete schon ein Shuttleservice darauf, uns zum Hotel zu bringen. Der Flughafen war wesentlich kleiner gewesen als der riesige Münchner Airport, provisorischer, aber die Welt, aus der wir kamen, war hier noch erkennbar. Das änderte sich abrupt, als der Van, in dem wir weitertransportiert wurden, den Flughafenbereich verließ. Ich fühlte mich in eine fremde Welt hineinkatapultiert. Alles war chaotisch. Wir wurden links und rechts überholt und überholten selbst links und rechts. Manche Straßen waren immerhin asphaltiert, die meisten einfache Sandpisten. Die darüberfahrenden Autos, Lastwagen, Motorräder und Roller wirbelten Unmengen Staub auf, der stellenweise so schwer und gelblich in der Luft hing, dass er die schemenhaften Umrisse von Männern und Frauen zu verschlucken schien. Zwischen intakten Gebäuden taten sich immer wieder Lücken auf. Dort stapelte sich Schutt. An jeder Ecke gab es Müllberge. Dicke Stränge hunderter elektrischer Kabel verbanden die Häuser, manche hingen gefährlich nah über den Straßen. Inmitten all dieses heillosen Durcheinanders bevölkerten Menschen die Szenerie. Frauen, die mit ihren makellosen bunten Gewändern der Umgebung zu trotzen schienen, Bettler, die in Lumpen am Boden kauerten, Kinder mit wild zerzausten Haaren und Kinder in gebügelten Schuluniformen. Dazwischen Kühe, die Narrenfreiheit des Heiligen genießend. Unser Van bahnte sich holpernd, ruckelnd und vor allem hupend seinen Weg durch das Getümmel. Alle hupten, ein pausenloses, alles übertönendes Konzert während gewagter Überholmanöver.

Der Innenhof unserer Übergangsunterkunft war eine Oase der Stille, fast ein Paradies. Ein Mangobaum voller überreifer Früchte spendete Schatten. Jetzt erst wurde ich mir meiner Anspannung gewahr. Es war nicht meine erste Fernreise, trotzdem war der Transfer vom Flughafen zum Hotel ein Kulturschock für mich gewesen. Das Flugzeug hatte mich förmlich ausgespuckt und die lächerlich kurze halbstündige Fahrt saß mir in den Knochen. Innerlich war ich längst vorausgeeilt, hatte mich gedanklich in der wohltuenden Stille der Meditation ausgebreitet, meine Sinne waren schon etwas zu weit geöffnet und die Eindrücke zu ungefiltert auf mich eingeprasselt. Ich war überfordert und fühlte mich gestresst. Am liebsten hätte ich den Innenhof für viele Stunden nicht mehr verlassen. Hier konnte ich ausatmen, die Eindrücke sortieren, fühlen, wie sehr mein Herz bewegt war. Wie intensiv ich Anteil genommen hatte an der Armut, die das Straßenbild in Kathmandu prägt, wie ich es in keinem anderen Land bisher erlebt hatte. Ich war ein bisschen wie in alle Himmelsrichtungen zerstreut. Eigentlich hätte ich einige Zeit für mich alleine gebraucht, um wieder durchatmen zu können. Ich war damit beschäftigt, was mich erwartete, machte mir Gedanken darüber, ob ich zu empfindlich war. Die anderen wirkten auf mich alle so selbstbewusst und stark, als wäre die Anreise ohne Schrammen an ihnen abgeperlt. Vor allem eine kleine Gruppe von Frauen schien mit einer beneidenswert anmutigen Gelassenheit gesegnet zu sein. In meinen Augen wandelten sie wie Elben durch den Innenhof, schön und unerreichbar, wie damals meine Mutter. Meine Gelassenheit war mir völlig entglitten. Der Vergleich setzte meinem Stress noch eins drauf.

Doch es sollte keine ausreichende Verschnaufpause geben. Essen. Mein Partner und ein paar andere aus der Gruppe wollten essen gehen. Ich war hin und her gerissen. Ich brauchte Ruhe, doch ich hatte auch Hunger. Unter Anspannung zu stehen ist ein fantastischer innerer Magnet, um weitere Anspannung anzuziehen. Jetzt meldeten sich noch meine Ängste bezüglich des Essens und forderten ihre Aufmerksamkeit. Was sollte ich essen? Würde ich das Essen vertragen? Sollte ich besser fasten, um nicht blass und krank über der Toilettenschüssel zu enden?

Ich entschied mich mitzukommen, doch ich blieb zurückhaltend, eine kleine Portion Reis sollte genügen. Ich wollte kein Risiko eingehen. Aber immerhin hatte ich etwas gegessen. Ab ins Bett. Doch auch hier konnte ich an diesem Ankunftstag nicht zur Ruhe kommen. Sicher war das Bett voller „Bedbugs“, wie sie auf Englisch heißen, Bettwanzen auf Deutsch. In meiner Fantasie lauerten sie in Scharen auf mich. Diese erste Nacht überlebte ich überraschenderweise ohne Krankheit und Insektenbisse. Ich war froh, die hektische Stadt direkt wieder zu verlassen.

Denn am nächsten Morgen saß ich unausgeschlafen und ein wenig hungrig in einem etwas klapprigen und bunten Reisebus Richtung Nagarkot, das in etwa 40 Kilometer von Kathmandu entfernt lag. Immerhin auf 2200 Metern. Doch in Nepal war diese Höhe hügeliges Vorgebirgsland. Die nächste holpernde Fahrt. Die Straße war kurvig und voller Schlaglöcher. Nepal ist einfach zu arm, um seine Straßen instand zu halten, trotzdem habe ich selten so viele glückliche Menschen gesehen. Unser Bus musste sich manchmal in Millimeterarbeit an entgegenkommenden Bussen oder Lastwagen vorbeiarbeiten. Ein Helfer des Fahrers ist in diesen Fällen nach draußen gesprungen und hat per Klopfzeichen bei der Navigation geholfen. Ich war in Vorfreude auf die hohen Berge, die uns erwarteten. Noch nie in meinem Leben hatte ich Siebentausender, geschweige denn Achttausender gesehen. Von Nagarkot aus sollte man an guten Tagen sogar den Mount Everest in der Ferne erahnen können.

Unser Gästehaus war eine in die Jahre gekommene Ferienanlage, die Zimmer einfach ohne großen Komfort. Der Blick jedoch fantastisch. Zumindest die Ahnung des Blickes. Die majestätischen Gipfel waren in Nebel und Wolken gehüllt, und das blieb für viele Tage so. Nur dann und wann blitzte eine weiße Bergspitze, wie über allem schwebend, aus den Wolken hervor, doch das ganze Ausmaß der Gebirgsfront verweilte in Verhüllung.

Immerhin war ich an diesem Ort von wilder Natur umgeben, die mich wieder mit Gelassenheit erfüllte.

Nun kam das Briefing für das eigentliche Retreat. 17 Tage schweigen, 17 Tage meditieren. Es gab einen Meditationsraum, in dem wir alle geradeso Platz fanden, und feste Zeiten, in denen die ganze Gruppe zusammen in Stille saß. In den Pausen sollten abwechselnd zumindest immer ein paar der Teilnehmer:innen weiter meditieren. Auch die ganze Nacht hindurch. 24/7 Meditation. Jetzt wurde es ernst.

Der Ablauf für die gemeinsamen Zeiten, die jeweils eine Stunde umfassten, begann um 7:00 Uhr morgens: stilles Gehen – Meditation – Frühstück – Meditation – Pause – Meditation – Mittag – Meditation – Pause – Meditation – stilles Gehen – Meditation – Abendessen – Meditation – Schlafen, zumindest bis der Wecker mitten in der Nacht klingelte, um den Anteil an der 24/7 Meditation zu leisten.

Die klare Empfehlung war, komplett offline zu gehen und mit den anderen keinen Kontakt aufzunehmen. Mein Partner und ich entschieden uns dafür, konsequent zu sein. Wir teilten zwar das Bett und das einfache Bad, doch wir wollten nicht miteinander reden.

Am nächsten Morgen um 7:00 Uhr stand ich dann das erste Mal auf der Wiese vor dem Haupthaus. Stilles Gehen stand auf dem Programm. Es war kalt. Instinktiv würde man einen Gang höher schalten und etwas schneller gehen. Wir taten genau das Gegenteil. Wir schalteten mehrere Gänge runter und bewegten uns zeitlupengleich in der Morgendämmerung über das Areal, ausreichend groß für unsere Gruppe. Die Aufgabe war, so bewusst wie möglich zu gehen, jede kleinste Feinheit mitzubekommen.

Wir hatten kleine Suppenschälchen in die Hand gedrückt bekommen. Alle Schalen waren bis zum Rand mit Wasser gefüllt, das war der Clou. 100 Menschen, die über die Wiese schlichen, jeder eine Suppenschale vor seinem Bauch haltend, mit der Absicht, möglichst kein Wasser zu verschütten.

Je mehr des kostbaren Nasses daneben ging, desto weniger Zentriertheit. Ein einfacher Indikator. Ab und an kamen Hausangestellte vorbei, immer freundlich und bescheiden. Sicher haben sie ihren Familien am Abend lustige Geschichten über 100 Westler erzählt, die mit Andachtsmine darum bemüht waren, kein Wasser zu verkleckern.

Überraschenderweise war die Suppenschale für mich aber tatsächlich eine hervorragende Unterstützung. Sie half mir, mich immer mehr in meinem Körper zu zentrieren, und irgendwann schwappte kein einziger Tropfen Wasser mehr über den Schalenrand. Es war, als ob sich ein Schalter in mir umlegte, und unerwartet schöne Wahrnehmungen stellten sich ein. Mein Gehen wurde behutsam, gelassen und sinnlich. Ein Zustand, der mir nicht unbekannt war und den ich meinen Panther-Modus nenne. Es ist ein innerer Modus, den ich nicht bewusst erzeugen kann, der ab und an unversehens auftaucht. Ich überließ ihm gerne das Feld. Mein Zeitlupengehen fühlte sich ab diesem Moment anmutig und geschmeidig an. Es wurde zum puren Genuss und zum zweimaligen Highlight eines jeden Tages. Das Suppenschälchen trug ich in diesem Zustand wie nebenbei. Ich verschwendete keinen einzigen Gedanken mehr an das darin befindliche Wasser. Es ruhte in selbstverständlicher Geborgenheit 60 Minuten lang in seiner Schale.

Sieben Stunden Meditation waren das tägliche Pflichtprogramm. Sieben Stunden in köstlicher gedankenloser Stille sitzen. Mein Kopf hätte voller nicht sein können. Die Stille schien die gedanklichen Stimmen noch lauter zu machen. Sie nahmen meinen Geist in den Schwitzkasten, zerrten ihn hierhin und dorthin. Und dann die köstlichen Gerüche, die aus der unter unserem Raum gelegenen Küche zu uns heraufzogen. Die nächste Ablenkung. Was es wohl heute zu essen gab? Mittlerweile vertraute ich dem Essen. Körperlich hatte ich keine Probleme, Yoga sei Dank. Als die Schweigezeit vorbei war, hat mir mein Partner erzählt, wie sehr er unter Rückenschmerzen gelitten habe. Stunde um Stunde habe er nach einigermaßen erträglichen Positionen gesucht. Gut, dass wir freiwillig da waren. Was tut man nicht alles auf der Suche nach dem „Seelenheil"! Nichts hätte weiter davon entfernt sein können als die erste Hälfte des Retreats. Lass die Gedanken wie Wolken an deinem Geist vorbeiziehen, eine der Metaphern für Meditierende. Doch ich war die Wolke selbst, eine unruhige noch dazu.

Leicht war es für mich außerhalb des Raumes, ich unternahm in den Pausen Spaziergänge, und angeregt durch die Gehmeditationen war mein Panther-Modus ein Dauergast. Ich war in inniger Verbindung mit allem, was mich umgab, ein sinnlicher unverstellter Kontakt mit der herrlichen, saftigen grünen Natur. In meinem Geist mit den Bergen verbunden, die sich nach wie vor hinter Wolken versteckten. Doch für mich waren sie da: uralte Monumente der Ewigkeit, zumindest aus meiner kleinen menschlichen Perspektive. Eines Tages würden auch sie Vergangenheit sein.

Irgendwann mahnte uns das Personal an, nicht bei Einbruch der Dunkelheit das Gelände zu verlassen. Es gab tatsächlich Raubkatzen in dieser Gegend, und mein Panther wäre bei einer Begegnung wohl sehr schnell zu einem mehr als ängstlichen Kätzchen geworden. Mein „weather report" nach der ersten Woche war klar und eindeutig – Wolken, Wolken, Wolken.

Unser Meditationslehrer gab an manchen Tagen kleine Impulse. An einem Morgen sprach er mit sanfter Stimme von einem Groschen, der ins Meer fällt und tiefer und tiefer ins Wasser sinkt. Ich sah ihn vor meinen Augen fallen. Die sanfte Stimme des Leiters trat Stück für Stück in den Hintergrund. Ich folgte dem Groschen, weiter und immer weiter mit meinem inneren Auge in die Tiefe. Er sank und sank und wippte sanft. Ich sah Sonnenstrahlen, die durch die Wasseroberfläche drangen und ihn im Sinken golden funkeln ließen. Und der Groschen sank weiter, tiefer und tiefer hinein in die Stille. Das helle Blau des Wassers wurde dunkler und dunkler, zu einem tiefen stillen Meeresblau. Dann, ganz selbstverständlich, ohne viel Zauber, landete er auf dem sandigen Grund. Stille.

Der Groschen war gefallen. Die Wolken hatten sich verzogen und es war einfach nur still. Auf eine Art war der Zustand völlig unspektakulär, das Normalste auf der Welt. Ich saß da, und das war es. Nur dieses Sitzen war eine tiefe friedvolle Stille. Zeit hatte keine Bedeutung mehr. Die Düfte der Küche verloren sich auf dem Weg zu mir. Ich kostete einen anderen Geschmack, die Köstlichkeit des einfachen Seins. Wahrscheinlich der Zustand, den alle Weisheitslehrer beschreiben und der nicht in Worte zu fassen ist. So frei hatte meine Seele noch nie geatmet. Dafür hatten sich all die Mühen gelohnt.

24/7 – es gab ja noch die Bonuszeiten. Viermal habe ich in den 17 Tagen den Versuch unternommen, nachts meiner Pflicht nachzukommen. Viermal hat mich der Wecker zu unmöglichen Zeiten aus dem Bett gerissen. Hundemüde schleppte ich mich dann in den Meditationsraum, den wir liebevoll auch unseren „Tempel" nannten. Nachts war der Raum nur von einer Kerze erleuchtet. Die Stille in diesen Stunden war fast greifbar, doch auch mein Schlafbedürfnis war nicht allzu fern. Es hat jedes Mal einen Sieg errungen. Die nächtlichen 60 Minuten waren die Fortführung meines Nachtschlafs im Sitzen. Jetzt ist der Zeitpunkt gekommen zu beichten, dass ich auch auf den Yogafestivals den Gitarre spielenden und singenden Weckdienst gerne an meinem Zelt vorbeiziehen ließ. Ich brauchte meinen Schlaf. Auch in Nepal war es nicht anders. Mein Wille war vorhanden, aber mein Schlafbedürfnis war stärker.

Am Ende war das nicht wichtig. Ich hatte 17 Tage investiert, die mir ein paar Stunden im puren Sein schenkten. In dieser einen Meditation war ich auf einen Schatz gestoßen. Und obwohl sich die Tiefe der Stille in diesem Maße nicht wiederholte, trug ich diese Erfahrung in mir, ein goldener Groschen, der am Grunde meines Herzens lag. Sein sanftes Licht schimmerte ab dieser Zeit häufig auch in meinem Alltag. Das Bild und die Erfahrungen halfen mir, viel schneller zu Gelassenheit und Ruhe zurückzufinden. Ein nächster wesentlicher Schritt in meinem Leben, den alten eingeprägten Stressmustern den Hahn abzudrehen.

Fünf Jahre später war ich wieder im Himalaya, zumindest an seinen Ausläufern. Ein nächstes Retreat, diesmal bei einem weiblichen Lehrer. Die Fotos des Gästehauses hatten wunderschön auf mich gewirkt. Die schattige Tallage war darauf nicht deutlich geworden. Von majestätischen Gipfeln war weit und breit nichts zu sehen. Ich saß alleine und mürrisch auf meinem Zimmer. Nur die Affen auf dem Balkon leisteten mir Gesellschaft. Ich war krank geworden und in

Quarantäne verbannt worden. So hatte ich mir diese Reise nicht vorgestellt.

Alles hatte so schön begonnen, zumindest abgesehen von der Lage des Seminarhauses. Der Kulturschock war diesmal ausgeblieben, obwohl Indien noch viel turbulenter ist, vor allem auch viel voller. Ich war in Delhi gelandet und die Stadt schien aus allen Nähten zu platzen. Alleine hatte ich den weiten Weg von dort aus bis in unser dunkles Tal im Taxi zurückgelegt. Ich war selbstsicherer und unabhängiger geworden. Ich wurde nicht mehr so schnell von altem Stress aus der Bahn geworfen. Das Ergebnis verschiedenster Ingredienzen: meiner Mutterschaft, des Yogas, verschiedener Retreaterfahrungen und nicht zuletzt meines zunehmenden beruflichen Wachstums in einer kontinuierlichen Rolle in einer Fernsehreihe. Das bedeutet, viel Pensum abzuarbeiten. Ich hatte gelernt abzuliefern, egal wie die Umstände waren. Dies hatte mich wesentlich selbstbewusster werden lassen. Mein schlechter Selbstwert wurde zunehmend von meinem wachsenden Selbstvertrauen abgelöst. All diese Puzzlesteine verzahnten sich immer besser in mir. Auf meiner Fahrt durch Kathmandu war ich steif und angespannt im Taxi gesessen.

Diesmal genoss ich die Fahrt.

Seit etlichen Jahren werden immer mehr Seminare speziell für Frauen oder speziell für Männer angeboten. Ein besonderer Rahmen, der es Frauen und Männern ermöglicht, unter ihresgleichen in ihre feminine oder maskuline Kraft zu kommen. Auch ich hatte mich in diesem Jahr für ein Retreat für Frauen angemeldet.

Die erste Woche war ein Traum gewesen. Es ging nicht um Therapie, Heilung oder irgendeinen Erleuchtungstrip. Es ging um das uralte Prinzip, dass Frauen sich gegenseitig beschenken können, mit ihrem Mitgefühl, ihrer Achtung voreinander, ihrem puren authentischen Sein, mit Aufmerksamkeit und Liebe. Eine einfache und schlichte Angelegenheit. Die Auswirkungen waren enorm. Schon nach kurzer Zeit waren alle Teilnehmerinnen gelassener und entspannter. Ein regelrechtes Bündnis begann, sich unter uns Frauen zu formen. Jede Frau konnte etwas geben, ob jung oder alt. Jede trug ihre ganz eigene Lebensweisheit in sich, die eine Bereicherung für alle war. Nie zuvor hatte ich so viele unterschiedliche Frauen erlebt, die durch die Einfachheit des Zusammenseins eine derart tiefe gegenseitige Verbundenheit entwickelten. Das Gemeinschaftsgefühl in Esalen war ähnlich gewesen, auch die Yogafestivals hatten einen Geschmack davon gehabt. Im Kreis der Frauen fühlte ich mich ein bisschen so, als würde mich meine Mutter mit all ihrer inneren Schönheit und ihrer Liebe endlich ganz fest in ihre Arme nehmen und mich so lange halten, bis ich satt war. Viele Tränen der Rührung liefen über meine Wangen.

Abends gab es ein kleines gemeinsames Ritual. Vor dem Abendessen wanderten wir zum Fluss, der sich seinen Weg durch das Tal bahnte, ein Nebenarm des Ganges, des heiligsten aller Flüsse in Indien. Jede suchte sich zwei Steine. Der eine sollte für etwas stehen, was du loslassen möchtest, der andere sollte für das Neue stehen, für das, was du dir wünschst. Mit einem kurzen Stoßgebet wurde jeder Stein in den Fluss geworfen. Loslassen wollte ich meine Restbestände an Unsicherheiten. Gewünscht habe ich mir Gelassenheit. Immer tiefere Gelassenheit.

Und jetzt lag ich alleine auf meinem Bett in Quarantäne. Ich war alles andere als gelassen. Ein zäher bellender Husten war der Grund für meine Misere. Die Kursleiterin hatte mich am Tag zuvor unvermittelt angesehen: „Es tut mir leid, aber ich muss dich in dein Zimmer schicken, du steckst sonst noch andere an." Und schon musste ich den Raum verlassen. Auch andere Teilnehmerinnen hatten eine Zeit lang gehustet, doch sie waren alle wieder gesundet. Ich fühlte mich ebenfalls fit, nur mein Husten wollte nicht enden. Selten hatte ich mich so ungerecht behandelt gefühlt.

Eine der Assistentinnen kam mich kurz darauf besuchen, bestellte mir die liebsten Grüße von der „Meisterin" – es täte ihr furchtbar leid, doch sie sehe erst mal keine andere Möglichkeit. Es war nicht ihr erstes Retreat in Indien, und sie hatte schon erlebt, wie ein Kurs wegen einer grassierenden Krankheit auseinanderbrach. Auch sagte sie mir, dass die Quarantäne ja vielleicht eine interessante Erfahrung sein kann.

Die hatte leicht reden. Eine interessante Erfahrung sah für mich definitiv anders aus. Die erste Woche war eine interessante Erfahrung gewesen. Sie hatte sogar meine Erwartungen übertroffen. Wenn mir das Retreat etwas bringen sollte, wenn es mein Leben nachhaltig bereichern sollte, dann auf die Art und Weise, wie ich es erlebt hatte. Doch davon war ich jetzt ausgeschlossen. Ich würde alles verpassen. Die Reise würde ich abhaken können, das Geld dafür hatte ich wohl umsonst ausgegeben. Weit weg von meinem Zuhause lag ich auf dem Bett, mit Aussicht auf ein schattiges Tal in

Indien. Mein Buch hatte ich bereits ausgelesen, und mein Handy, das einsatzfähig war, hatte hier unten keinen Empfang. Am ersten Tag meiner Quarantänezeit war ich im Wesentlichen wütend, bin immer wieder im Zimmer auf und ab getigert, war innerlich mit dem Ausschluss beschäftigt. Die folgenden Tage waren angefüllt von Traurigkeit und Langeweile. Mir war nicht verboten, das Zimmer zu verlassen, ich durfte lediglich keinen Kontakt mit den anderen Frauen aufnehmen. Doch die ersten Tage versuchte ich vor allem, meine Gefühle wegzuschlafen. Danach war ich meist noch mehr im Eimer. Mein Kreislauf fing an, ein wenig verrückt zu spielen. Dann halt doch nach draußen. Wenn all die Frauen im Gruppenraum waren, verließ ich meine Höhle, schlich auf dem sonnenlosen Gelände herum, versuchte, etwas Spaß mit mir allein zu haben, doch nichts begeisterte mich sonderlich. Ich war die Großmeisterin des Schmollens, „pouting" in seiner puren und reinsten Form. Ich fing an, mich dafür selbst zu bezichtigen: „Du wirst doch mal 'ne Woche oder so alleine im Zimmer verbringen können, mein Gott, du bist Mitte 40!" So in etwa führte ich meine Selbstgespräche.

Mein letzter Hoffnungsschimmer war ein kleiner Klamottenladen ganz in der Nähe. Dort war es mir erlaubt hinzugehen, soweit griffen die Quarantänebestimmungen nicht. Statt übers Gelände schlich ich nun zum Laden. Closed. Der Laden hatte zu. Auch beim nächsten Mal. Closed. Irgendwann, zu einer völlig absurden Uhrzeit, hing plötzlich ein neues Schild an der Ladentüre „Namaste, you are welcomed". Es gab im Wesentlichen Yogakleidung zu kaufen. Nichts begeisterte mich. Aus Frust kaufte ich trotzdem ein Oberteil und schlich wieder aus dem Laden. Das war's. Eine halbe

Woche Ausschluss lag hinter mir, mein Husten hatte sich keinen Deut verbessert und ich hatte die letzte Ablenkungsmöglichkeit gerade ausgeschöpft. Auf nichts hatte ich mehr Lust, weder auf Yoga noch auf Meditation, all die Erfahrungen der letzten Jahre schienen für die Katz zu sein. Alles, was blieb, war ermattete Langeweile, Frustration und Neid. In jeder Mittagspause konnte ich die bunte Gruppe der Frauen auf dem Weg zum Essraum beobachten. Ich hatte einen Logenplatz auf meinem Balkon.

Strahlend und lachend gingen sie zum gemeinsamen Essen. Eine Gruppe leuchtender Elben, zu der ich schon wieder nicht dazugehörte. In der ersten Woche war ich ein vollwertiges Mitglied gewesen. Jetzt saß einzig der immer selbe Affe auf dem Geländer meines Balkons. Nach vier oder fünf Tagen war ich weichgekocht. Mir wurde klar, dass ich mich gegen den Zustand nicht wehren konnte. Meine kläglichen Versuche, mir selbst irgendwie zu entfliehen, waren gescheitert. Ich hörte auf, innerlich wegzurennen. Ich begann, meine Gefühle zu fühlen, wie sie nun mal waren. Am Anfang war es unangenehm, nicht umsonst wollte ich weg davon, doch mit der Zeit veränderte sich mein innerer Zustand. Ich wurde ruhiger.

Auch jetzt lag ich des Öfteren auf dem Bett. Doch war es nun eine Hingabe an den Moment. Ich schaute aus dem Fenster. Es gab einen Baum, eine Wiese und ein bisschen vom Fluss zu sehen. Zu Beginn meiner Quarantänezeit war dieser Ausblick belanglos gewesen, jetzt wurde er zu einer lebendigen Welt, und ich blickte gerne aus dem Fenster. Plötzlich klopfte mein Panther-Modus wieder an. Die Spaziergänge in der Umgebung wurden ein Genuss. Das Alleinsein wurde zu einer Kostbarkeit. Frieden stellte sich ein. Eine Art stille Akzeptanz.

Die Quarantäne wurde tatsächlich zu einem der wertvollsten Geschenke meines Lebens. Wer hätte das gedacht? Alleine sein ist seit dieser Erfahrung kein wirkliches Thema mehr für mich. So lange war mir diese Angst in den Knochen gesteckt. Das Retreat war jeden Cent wert, den ich dafür ausgegeben hatte.

Nach ungefähr acht Tagen durfte ich wieder zur Gruppe zurückkehren. In meinem neuen Yogaoberteil nahm ich Platz im Kreis der Frauen. Es war schön, wieder in der Gruppe zu sitzen, doch auch alleine auf meinem Zimmer oder bei einem Spaziergang hätte ich mich wohlgefühlt. Plötzlich wäre beides möglich. Alleinsein und/oder Gemeinschaft. Es war nicht mehr wichtig. Ich war mir selbst genug.

Am letzten Tag unternahmen wir einen gemeinsamen Ausflug nach Rishikesh, der Heiligen Stadt am Ganges, die auch als Yogahauptstadt angesehen wird. Tausende von Pilgern starten von hier aus ihre Wege zu den Quellen des Ganges, die im Himalaya entspringen. Hindus glauben, dass eine Meditation in Rishikesh, ebenso wie ein Bad im heiligen Fluss Ganges, näher zur Erlösung führt.

Ich saß zusammen mit einer anderen Teilnehmerin in einem zauberhaften Café mit Blick auf den breiten, klaren Fluss. Zwei Cafés weiter hatten die Beatles Zeit verbracht und ihren Chai getrunken. Ich dachte an „Sunshine Music“, an meine hochschwangere Mutter auf der Leiter und die heiße Ware, die mein Vater nach Hameln importierte. Poster der Beatles waren ebenfalls dabei gewesen. Auch wir hatten

Chai bestellt, den typisch indischen Tee mit Zimt, Ingwer und anderen Gewürzen. Ich mochte die Frau, mit der ich nun den Blick auf den Ganges teilte. Wir hatten die eine oder andere Übung zusammen gemacht, und sie war mir sympathisch. Sie war Australierin und lebte auf Tasmanien, einer riesigen Insel südlich des Kontinents. Gerade berichtete sie mir, womit sie ihr Geld verdient. Es ging um Poltergeister. Sie würde Häuser davon befreien. Davon ließ sich scheinbar gut leben. Mir fiel ein wenig die Kinnlade runter. Sie hatte das gesagt, als wäre es das Normalste auf der Welt. Poltergeister aus Häusern jagen klang ziemlich verrückt, doch ich war viel mehr damit beschäftigt, mit welcher Selbstverständlichkeit sie das mit mir geteilt hatte. Keine Spur von Scham oder Unsicherheit. Na, wenn das so einfach geht.

Ich bin Legasthenikerin.

TEIL 2
PRAKTISCHES

Die Toolbox

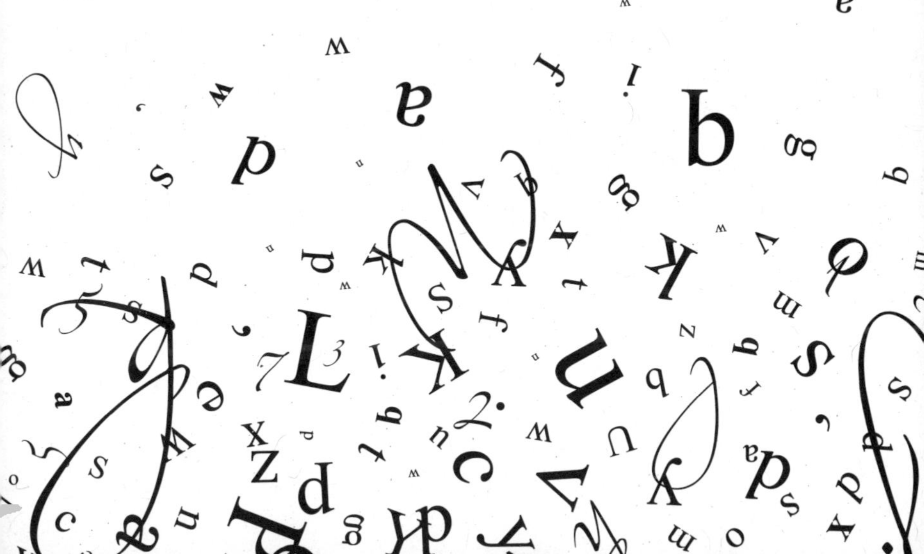

VORWORT

Ich erinnere mich an eine Mittagspause in Esalen. Meine Tischnachbarin erzählte mir eine kleine Geschichte, die von einem Großvater und seinem Enkel handelte. Der alte Mann berichtete seinem Enkel von den beiden Wölfen, die in ihm lebten und miteinander rangen. Ein dunkler, mürrischer, zorniger und verschlagener Wolf und ein heller, lebensfroher, freundlicher und sanftmütiger Wolf. Der Enkel hatte seinem Opa aufmerksam gelauscht und ihn dann gefragt: „Opa, welcher Wolf hat gewonnen?" Der alte Mann lächelte seinen Enkel liebevoll an und sagte: „Der Helle, denn diesen Wolf habe ich gefüttert."

Keine Veränderung im Leben ohne praktische Umsetzung. Und dafür braucht man das geeignete Werkzeug. Sämtliche Tools in der „Box" sind die kleinen oder großen Perlen, die zur gesunden Entfaltung meines Wesens beitrugen und noch immer beitragen. Mit ihnen füttere ich meinen hellen Wolf. Enjoy!

JUST DO IT

Sitzplatz 21D, ich saß am Gang einer Lufthansa A320 auf dem Weg von Frankfurt nach München. Es war Sommer, ich trug Sandalen. Im Flieger eigentlich ein Fehler, den ich jetzt schon bereute. Die Klimaanlage leistete ganze Arbeit, und lieber hätte ich jetzt warme Fellschuhe an den Füßen. Egal. Die Frau neben mir trug auch Sandalen. Ihr Mann am Fensterplatz war in ein Buch vertieft, offensichtlich in einen Krimi. Das Cover verhieß eine düstere Story, ich konnte einen Blick darauf erhaschen. Wahrscheinlich war es eine abgründige, spannungsgeladene Geschichte, die all seine Aufmerksamkeit fesselte. Krimi schien sein Ding zu sein, zumindest wirkte er äußerst vertieft, vielleicht versuchte er nebenher den Mörder schneller zu entlarven als der Kommissar des Buches. Auch sie hielt ein Buch in der Hand, doch der Stoff schien sie nicht zu interessieren. Gedanklich weilte sie augenscheinlich irgendwo anders, als wäre sie in Träumereien versunken. Das weckte meine Neugierde. Mit Träumen kenne ich mich aus, und ich versuchte mir vorzustellen, wovon sie gerade träumte. Vielleicht von dem gerade erlebten Urlaub?

Zugegebenermaßen entsprang diese Annahme weniger meiner Vorstellung als meiner kommissarisch geschulten Wahrnehmung. Ihr Strohhut lag unter dem Sitz, daneben ihre bunte Strandtasche. Ab diesem Punkt folgte ich nun tatsächlich meiner Vorstellung. Vielleicht nahm sie gerade Abschied von den Stränden, dem Sand unter ihren Füßen, der warmen Sonne auf ihrer Haut, dem herrlichen Wasser des Meeres und dem dazugehörigen Freiheitsgefühl. Vielleicht flog sie im Geiste noch über das Meer, fühlte die salzige Brise in ihrem Gesicht, die ihre kleinen, glitzernden Ohrringe leicht hin und her baumeln ließ. Wie wäre es am Meer zu leben – ein Traum, ein Hirngespinst?

Oh, jetzt war ich offenkundig in meinem letzten Urlaub angekommen. Für einen Moment hatten wir zusammen geträumt. Doch meine Wahrnehmung wollte wieder zurückkehren zu meiner Sitznachbarin in Reihe 21. Wo war sie gerade? War sie noch im Urlaub oder waren ihre Gedanken schon weitergeflogen. Hatte sie Kinder? Dachte sie an ihren Job? War sie innerlich schon mit dem kommenden Alltag beschäftigt? Mit dem Wetter in München? Es sollte kühler werden, ab morgen würden ihre Füße wieder in festeren Schuhen stecken. Vielleicht dachte sie an die beste Freundin, die bald Geburtstag hatte? Ob ihr die Ohrringe, die sie ihr von Ibiza mitgebracht hatte, gefallen würden?

So ungefähr malte ich mir ihre Gedanken aus. Sie war hübsch, leicht gebräunt. Ihre Sandalen waren den meinen sehr ähnlich. Zufall? Nein, die waren gerade in. Doch innerlich war ich noch einer anderen Spur gefolgt, die mit Äußerlichkeiten ohnehin nichts zu tun hatte. Denn ob Glitzerohrringe, Sandalen, Sneaker, lange oder kurze Haare, braun, schwarz oder weiß, sehr weiblich oder mit maskulinem Einschlag, filigran, sinnlich, schlank oder dick, eines war klar, wir waren zwei Frauen, und wenn sich die Gelegenheit bot wie jetzt, begann ich über das Frausein nachzudenken. Darüber machte ich mir schon lange und ausgiebig Gedanken.

Das Thema „Frausein" war auch der Ursprungsgedanke für dieses Buch. Es war keine große Vision, das gebe ich unumwunden zu. Es war eher eine meiner vielen Ideen, denn Ideen habe ich wie Sand am Meer. Es war ein Aufblitzen, ein Buch über Frauen für Frauen von einer Frau geschrieben. Allerdings: ich und ein Buch schreiben? Schreiben war noch nie meine Stärke, du kennst ja nun meine Geschichte. Also eine offensichtliche Schnapsidee. Doch in Gedanken war ich schon beim Titel angekommen: „Muss es immer Krimi sein" – bei den Untertiteln ging meine Fantasie dann etwas mit mir durch: „Was Frauen wirklich wollen" oder „Knallharte Sinnlichkeit". Trotz der Absurdität, die Idee ließ mich nicht mehr los. Aber ich schwamm in sehr kaltem Wasser. „So wird dat nischt", hätte meine Berliner Oma gesagt. Ich brauchte ein Warmwasserbecken, ich brauchte professionelle Unterstützung.

Für die Unterstützung war ich nun bis an den letzten Zipfel von Thüringen an der Grenze zu Sachsen gereist. Der Bahnhof war mir bekannt, ich war schon ein paar Mal da gewesen. Er erinnerte mich immer an einen 30er-Jahre-Film, die Bahnhofsuhr trägt den Staub von Jahrzehnten und stammt garantiert aus dieser Zeit. Eine gute Freundin holte mich ab. Sie ist der Profi, Lektorin bei einem renommierten Verlag. Sie lebt dort in einem sehr idyllischen Haus mitten in der Pampa, ein gemütliches Refugium mit blühendem Spätsommergarten.

Kaum hatten wir auf ihrer Terrasse bei einem Glas Wein Platz genommen, kam ihre Frage: „Was willst du denn für ein Buch schreiben? Erzähl doch mal." Ich schluckte. „Also, wenn du mich so direkt fragst, irgendwas für Frauen." Sie schielte mich schräg an. „Na dann, los geht's, morgen früh setzt du dich in den Garten und schreibst alles auf, was dir zu deinem Satz ‚Irgendwas für Frauen' einfällt. Ach ja, und auch, was für ein Anliegen du hast und nicht zu vergessen, deine ganze ‚Message' an all die vielen Frauen da draußen." Ich verstummte und sank ein wenig in meinem Gartenstuhl zusammen. Plötzlich saß ich wieder in der Schule. Ich hatte nichts mehr zu sagen und erst recht nichts zu schreiben. Ich war meilenweit davon entfernt, irgendeine Idee zu haben, geschweige denn hatte ich eine klare Spur herausgearbeitet, der ich in meinem Buch folgen könnte. Mein Buch begann mit einer kolossalen Schreibblockade.

Nach ein paar Tagen packte ich meinen Stift, meinen Schreibblock und meinen Laptop unverrichteter Dinge wieder ein. Die Tage waren idyllisch gewesen, mit leckerem Essen und herrlichem Weißwein. Geschrieben hatte ich nichts. Meine Freundin hatte ins Schwarze getroffen: „Welches Anliegen hast du eigentlich?“ Ich war so naiv und blauäugig an die Sache herangegangen. Als ob mir ein Buch einfach in den Schoß fallen würde. Schreiben war definitiv noch nie meine Stärke, im Gegenteil, früher musste ich fliegende Buchstaben einfangen und meine Bilderflut zügeln, die Lücken füllen wollte. Am besten ich hake das Thema ab.

Ein paar Wochen später machte ich mich zum Joggen fertig. Es war Herbst geworden, Blätter wirbelten im Wind, es hatte sich abgekühlt. Egal, ich wollte trotzdem raus. Meine Lieblingsstrecke entlang des Flusses. Auf halbem Weg hörte ich plötzlich die Frage wieder in meinem Kopf: „Was ist dein Anliegen?“ Ich lief weiter, doch der Satz hallte weiter in mir, ich begann ihn flüsternd vor mich hinzusprechen: „Was ist dein Anliegen?“ Langsam formte sich ein neuer Satz zusammen: „Wer bin ich eigentlich?“ Ich hielt abrupt inne, lauschte in mich hinein. Zwei Atemzüge später kam eine kleine, zarte Antwort, sie klang fast kindlich, und ich meinte einen Anflug an Ängstlichkeit wahrzunehmen: „Du bist Legasthenikerin.“ Oh, wo kam das jetzt her? Momente wie diese waren mir nicht unbekannt, doch sie waren selten. „Du bist Legasthenikerin.“ Da war es: mein Anliegen. Es war eine leise, doch überaus deutliche Antwort, besser gesagt, ich hatte meinen Ruf gehört. Ein Ruf ist der Beginn einer Heldenreise. In meinem Fall war es der Beginn meiner Heldinnen-Reise. Von dem Tag an nahm alles seinen Lauf. Es war eine wilde Reise, die mich durch Höhen und Tiefen hindurchführte. Das fertige Buch hältst du in deinen Händen.

Just do it hat für mich zwei wesentliche Aspekte. Zum einen glaube ich, dass es im Leben immer wieder darum geht, bestimmte Dinge einfach zu machen, auch wenn man noch nicht so genau weiß, was dabei rauskommen wird. Zum anderen ist es gut, dabei auf seine leisen inneren Stimmen zu hören. Und offensichtlich ist der Ruf, der einem den richtigen Weg aufzeigt, nicht immer laut. Just do it. Enjoy!

BODY EMO MIND – BEM

Dieses kleine Wortspiel ist frei von mir erfunden. Es geht darum, einen ganz einfachen, leicht umsetzbaren Schnellcheck von dir selbst zu machen, um einen Eindruck von deinem aktuellen Zustand zu bekommen. Dieses Vorgehen wiederum ist nicht von mir erfunden. Das wirst du überall dort wiederfinden, wo es um einen besseren Selbstkontakt geht. Die meisten Menschen sind spitzenmäßig mit ihrem Kopf verbunden, oft jedoch nicht ganz so gut mit ihrem Körper und ihren Gefühlen. Doch das ist, was wir sind – Körper, Gefühle und Kopf, Body Emo Mind.

Ich erhielt die Inspiration für diesen Check-up damals mit Anfang 20 in Esalen. Dieses Zentrum für die Förderung menschlichen Potenzials und menschlicher Entwicklung ist, wie schon berichtet, stark von Ansätzen der humanistischen Psychotherapie geprägt. Ich bin keine Expertin für diese Ansätze, doch ich habe damals erfahren dürfen, wie wichtig es ist, unserem Kopf nicht das gesamte Leben zu überlassen. Du erinnerst dich, der „weather report“, diese kleine Praxis hat immer diese drei Ebenen mit einbezogen: Wie nimmst du deinen Körper wahr, wie fühlst du gerade, was denkst du gerade? Bei BEM geht es aber ausschließlich um deinen eigenen persönlichen kleinen Wetterbericht. Es geht um das persönliche „Datensammeln“. Im Laufe der Jahre habe ich diese kleine Praxis in meinen Alltag integriert. Momente des Innehaltens, um mich selbst durchzuchecken.

Grundsätzlich gibt es zwei Richtungen: top down oder bottom up. Von oben nach unten oder von unten nach oben. Entweder beginnst du im Kopf, registrierst, welche Gedanken du gerade denkst, du gehst weiter zu deinen Gefühlen, um diese wahrzunehmen. Als Letztes wendest du dich deinem Körper zu. Wie fühlt sich dieser momentan an? Wo ist er angespannt, wo ist er entspannt, wo zwickt und zwackt es? Oder du beginnst mit dem Körper und arbeitest dich nach oben vor – Body Emo Mind. So kannst du ein brandaktuelles Update deines gegenwärtigen Zustandes erhalten und darüber, wo du dich gerade aufhältst. Bist du in Gedanken meilenweit von der Situation entfernt, in der du dich im Moment befindest? Senden dir deine Gefühle und dein Körper Signale, die dir eine Pause empfehlen, um etwas Entspannung zu finden, oder den Tipp, mal für ein paar Augenblicke frische Luft zu schnappen? Entscheidend ist, die persönliche Datensammlung nicht zu einem Urteil werden zu lassen. Auch nicht, um dir selbst Druck zu machen. Die Informationen über dich dienen dir als kurze Bewusstwerdung. Sie können ein inneres Barometer sein, das lediglich einen Hinweis auf eine neue Justierung geben kann, falls diese möglich ist. Enjoy!

NATUR – DER TEMPEL

Natur hat für mich etwas Heiliges, in einem gewissen Sinne ist sie wie ein Tempel für mich, eine Art Gotteshaus. Ich bin nicht kirchlich aufgewachsen, daher gibt es keine Erfahrungen mit Gottesdiensten, mit Taufe oder Konfirmation, auch Beten als intimer Dialog, als eine Form, sich an Gott zu wenden, habe ich während meines Heranwachsens nicht erlebt. Als kleines Mädchen war ich zusammen mit meiner Mutter viel in der Natur. Wir haben Ausflüge in den Wald oder in die Heide unternommen, die nicht weit von unserer Heimatstadt Hamburg entfernt lag. Hier bin ich in meiner blühenden Fantasie, durch die verträumten Anregungen meiner Mutter, mit den kleinen Feen und Zwergen in Berührung gekommen. Die Naturwesenheiten waren im Grunde meine Engel, welche die Geschichten in der Bibel bevölkern. Ich stellte mir vor, wie die „Engel" Gutes tun, wie sie Pflanzen pflegten, Tiere zu ihren Nestern oder Höhlen begleiteten.

Dies war meine kindliche Form des Glaubens an etwas, das über uns hinausreicht. Heute ist Natur für mich eine ganz unmittelbare Möglichkeit, mich mit der Schöpfung zu verbinden. Für mich gleicht dies einem stillen Gebet. Wälder und Tiere, die mich umgebenden Elemente lassen mich fühlen, dass ich nur ein winziges Partikel in einem riesigen Ganzen bin, vor dem ich mich innerlich in Ehrfurcht und Dankbarkeit verbeugen kann.

Im Wald oder am Meer, auf einer Wiese beim Wandern – gerne mache ich kurze Pausen, bleibe stehen und lausche, atme die frische Luft, beobachte, wie die Vögel ihre Bahnen durch den Himmel ziehen. Manchmal schaue ich mich aufmerksam um, meine Augen suchen das Dickicht nach Rehen ab, meine besonderen Lieblinge, oder ich durchstreife mit meinem Geist die Kronen der Bäume. Es sind kleine „heilige" Momente, wohltuende Oasen im Wirrwarr meines Alltages, vielleicht ein wenig vergleichbar mit einem kurzen „Vater unser" bei den Christen oder dem Besuch einer imposanten Kathedrale. Für mein Empfinden ist die uns umgebende Natur viel mehr als ein Naherholungsgebiet. Sie kann eine andächtige Verbindung zu allem Lebendigen, zum Leben selbst offenbaren.

Vielleicht inspirieren dich diese Zeilen und du probierst es selbst einfach aus, wenn du das nächste Mal in der Natur bist. Es gibt nicht viel zu tun, außer dir zu vergegenwärtigen, wie groß die Schöpfung ist, die dich umgibt. Enjoy!

ZUHÖREN

Einander zuzuhören ist meiner Meinung nach eine Art Kunst, das Lauschen, das in einem späteren Kapitel behandelt wird, halte ich sogar für eine wahre Kunst. Jetzt soll es erst einmal um das Zuhören gehen. Meiner Erfahrung nach sind wir viel zu schnell darin, dem Sprechenden dazwischenzufunken. Ich hatte immer eine lebhafte, eher flüchtige Art, Menschen zuzuhören. Ich bekam zwar alles mit, aber Dinge, die mir anvertraut wurden, wirklich tief wirken zu lassen, die berühmte Pause, die gerade ich als Schauspielerin beherrschen sollte, das hatte Seltenheitswert. In der Ruhe beziehungsweise der Pause liegt die Kraft, daran hatte meine damalige Gesprächskultur keinen Anteil.

Beim Zuhören geht es nicht nur darum, dem Gegenüber nicht ins Wort zu fallen. Es geht auch darum, wenig zu kommentieren mit halbbewussten kontinuierlichen Jajas oder Mmhs ... oder mit einem automatisierten zustimmenden Nicken des Kopfes. Das Englische bietet für viele Begebenheiten im Leben unglaublich zielgenaue Begriffe und tatsächlich auch für diese Art des Zuhörens. Menschen, die beim Zuhören ständig nicken, werden „Nodder" genannt, von to nod: nicken. Vor vielen, vielen Jahren war auch ich Teil dieser besonderen Spezies. Während eines Drehs wurde ich mitten in einer Szene plötzlich vom Regisseur unterbrochen. Er sagte: „Fiona, du nickst beim Zuhören ständig mit dem Kopf. Du siehst aus wie eine Taube, die über den Bahnhofsplatz rennt. Hör auf damit!" Er war selbst wie eine Taube vor mir auf und ab gelaufen, um mir mein Verhalten zu verdeutlichen.

Das hatte gesessen! Ich musste erst mal schlucken. Meine Eitelkeit bäumte sich in mir auf. Doch etwas zeitversetzt prustete es aus mir heraus. Als Taube war er einfach zu ulkig gewesen, und offensichtlich hatte er etwas an mir beobachtet, das mir nicht bewusst war. Wir wiederholten die Einstellung und siehe da, ich war sofort viel gelassener, und auch mein Spielpartner entspannte sich prompt. Mein ständiges „noddern" hatte eine stressige Unruhe verbreitet, die auch ihn unter Druck gesetzt hatte. Endlich konnte er in Ruhe seinen Part spielen, er hatte nicht mehr das Gefühl, möglichst schnell zur Sache kommen zu müssen, damit ich dann meinen Text sprechen kann.

Selbst der Zuschauer will am Ende nicht mit dem Gedanken an eine Taube vor seinem Flatscreen sitzen. Diese damalige Regieanweisung ist für mich immer noch wie ein kleines Geschenk. Ich konnte mir meines Verhaltens beim Zuhören bewusst werden und es dadurch nachhaltig verändern. Von einer nickenden Zuhörerin wurde ich zu einer entspannteren Zuhörerin. Für mich eine große Errungenschaft.

Denn wie im Zusammenspiel mit meinem damaligen Filmpartner erlebe ich auch im Alltag einen erheblichen Unterschied. Als wäre plötzlich mehr Zeit da, für mich als Zuhörende und für den Erzählenden. Mein Gegenüber bekommt viel mehr Raum und Aufmerksamkeit. Die Gesprächsatmosphäre ist entspannter und oft auch inniger.

Eigentlich nicht verwunderlich, ist es doch ein wesentliches Grundbedürfnis von uns Menschen, gehört und verstanden zu werden, mit unseren Meinungen, Emotionen, Gedanken und Geschichten. Zuhören ist eine Qualität, die menschlichen Kontakt bezogener und intensiver werden lassen kann und überraschenderweise häufig auch ein tieferes Gefühl von Zugehörigkeit schenkt. Wahrscheinlich ist es kein Zufall, dass in der Zugehörigkeit, nach der sich viele sehnen, das Wort zuhören drinsteckt.

Zum entspannteren Zuhören könnte sich noch das genauere Zuhören gesellen. Was will mein Gegenüber wirklich sagen? Welche subtilen Informationen heften sich vielleicht an das Gesagte? Wie fühlst du dich, wenn du zuhörst? Stimmt das, was du fühlst, überein mit dem, was du hörst? Enjoy!

WERTSCHÄTZUNG

Andere Menschen wertzuschätzen erscheint mir, zumindest in Deutschland, eine eher vernachlässigte Handlungsmöglichkeit zu sein. Mitmenschen zu loben, ihnen unsere Achtung auszusprechen, ihnen positives, eben wertschätzendes Feedback zu geben, ist nicht unbedingt Bestandteil unserer DNA. In Amerika und England habe ich das anders erfahren dürfen. Die Menschen dort beschenken sich auf ganz natürliche Weise mit gegenseitiger Anerkennung und Wertschätzung.

Es liegt mir fern, nun darauf herumzuhacken, wie sich das Miteinander in Deutschland gestaltet. Jetzt in den Beschwerdemodus umschalten – nichts könnte weiter weg von diesem Kapitel sein. Ich möchte zu diesem Thema einfach eine kleine Geschichte erzählen, die veranschaulicht, was passiert, wenn Wertschätzung in unbewussten Momenten verloren geht. Sie ereignete sich vor ein paar Jahren bei Dreharbeiten, die extrem stressig für mich waren.

Der Regisseur für diesen Film war alles andere als entspannt, und seine Fähigkeit, andere wertzuschätzen, ging gegen null. Sicher weiß der ein oder andere Leser, wie es ist, unter einem Chef zu arbeiten, der kontinuierlich antreibt und kein Lob ausspricht.

Doch man soll sich ja nicht aus der Ruhe bringen lassen. Hat leider nicht geklappt. Innerlich war ich im Alarmzustand. Wieder einmal hatten mich meine Schulerfahrungen eingeholt. Längere Zeit hatte ich Schwierigkeiten mit Autoritätspersonen, die Druck auf mich ausübten. Diesen Kalibern ging ich so gut wie möglich aus dem Weg, da sie mir Angst einjagten. Zwar war ich wesentlich resistenter geworden, hatte vor Autoritäten eigentlich keine Angst mehr, doch diesmal war ich in alte Muster verfallen, es hatte mich ausgehebelt. Nichts konnte mich unterstützen, kein Atmen, kein Yoga, keine Meditation. Ich stand unter Strom, jetzt bloß keinen Fehler machen, nicht in die Schusslinie geraten. Wir hatten eine Szene „ausgiebig" geprobt, also ein bis maximal zweimal, wie es heutzutage üblich ist. Für mehr gibt es keine Zeit mehr. Zack, zack. „Drehfertig machen", rief der Aufnahmeleiter. Drehfertig machen heißt, noch ein paar Augenblicke für die „final touches". Als Schauspielerin bedeutet das für mich, von meiner Kostüm- und von meiner Maskenbildnerin noch mal kurz durchgecheckt zu werden. Sitzt das Kostüm, keine Flecken vom Mittagessen, ist der Lippenstift noch so intensiv wie bei der vorherigen Szene, ist mit den Haaren alles in Ordnung? Es wird gezupft und getupft.

Ich hatte bei diesem Dreh eine Maskenbildnerin an meiner Seite, die mich in- und auswendig kannte. Seit Jahren arbeiteten wir zusammen, eine wunderbare Kollegin, die ich sehr schätze. Sie war mit meinem Kopf und Gesicht bestens vertraut, mit meiner Nase, meinen Lippen, meinen Haaren. In dieser angespannten Situation hielt sie mir meinen Lippenstift entgegen, wie sie es schon so oft getan hatte, und reflexhaft schlug ich ihre Hand samt Lippenstift von meinem Gesicht weg. Sie war zutiefst erschrocken. Meine große Wertschätzung für sie war in diesen Augenblicken völliger Achtlosigkeit gewichen. Später haben wir darüber gesprochen und ich habe mich für mein unaufmerksames Verhalten entschuldigt. Sie konnte meine Entschuldigung annehmen. Unsere gegenseitige Wertschätzung war wieder intakt.

Zum Glück ist es dafür nie zu spät. Hier eine kleine Übung dazu. Wenn du magst, probiere es aus.

Du setzt dich mit deinem/deiner Partner:in, deinem/deiner Freund:in oder Bekannten zusammen hin. Jeder hat fünf bis zehn Minuten Zeit, alles auszusprechen, was er am Gegenüber schätzt. Das darf wirklich alles sein von „Ich schätze die Farbe deiner Augen, sie haben ein so schönes Blau" über „Du singst so schön" bis hin zu „Für mich bist du der liebenswerteste Mensch, den ich kenne". Der andere hört einfach nur zu und lässt die ganze Wertschätzung so gut wie möglich bei sich ankommen. Für viele ist das gar nicht so einfach, da wir häufig so wenig Erfahrung mit wohlgemeintem Lob haben. Sollte es dich ein wenig zu Tränen rühren, wertgeschätzt zu werden ... Enjoy!

CATCH YOUR BREATH

Im Duden steht unter den Synonymen zur „Einkehr" gleich als erstes Wort – Atemholen. Im Englischen sagt man: „to catch one's breath". Danach war ich auf der Suche, nach einem Platz zum Atemholen, nach einem kleinen Refugium zur inneren Einkehr. Ich war reif geworden, diesen Schritt das erste Mal in meinem Leben zu wagen. Alleine, ganz auf mich gestellt, an einen möglichst abgelegenen Ort zu reisen, der gemütlich sein sollte und spartanisch sein durfte. Keine anderen Menschen, keine Gruppe, kein Back-up sollten mir diesmal Sicherheit vermitteln.

Mit drei wesentlichen Eigenschaften war ich in meinem Leben immer wieder in Kontakt gekommen: mit dem

Alleine-sein-Können, mit dem Nichts-tun und dem Gefühl für meinen eigenen Rhythmus. Ein um den anderen Schritt hatte ich gemacht, um mir diese drei anzueignen. Und dieses selbst gewählte Retreat sollte der ultimative Test werden. Ich wollte herausfinden, ob ich wirklich reinen Herzens vom Genuss der Einsamkeit sprechen durfte, von der Köstlichkeit des einfachen Daseins und von der Wohltat des eigenen Rhythmus. Schon länger ahnte ich, dass ich mich eines Tages auf eine solche Reise machen würde, vor allem seit einem stillen Moment, in dem mir Bilder vor meinem inneren Auge erschienen waren. Ich sah eine schroffe Steilküste, die jäh in den Atlantischen Ozean abbrach, nicht weit entfernt ein englisches Cottage, gemütlich eingerichtet, im Kamin ein wärmendes Feuer. Ein großes Fenster gab den Blick auf das wilde Meer frei, eine atemberaubende Kulisse.

Doch um Träume zu leben, braucht man bekanntlich Mut oder man muss vom Leben mit der Nase darauf gestoßen werden. 2015 beschenkte ich meine Söhne zu Weihnachten mit einer gemeinsamen Städtereise. Ich hatte acht Städte ausgewählt, auf Zettel geschrieben und sie in einen Hut geworfen, und die beiden durften ziehen, welches Ziel wir im kommenden Frühling ansteuern würden. Die Wahl fiel auf Dublin. Sofort erinnerte ich mich an das kleine Cottage in Küstennähe. Irland war nicht England, aber sehr nah dran. Ich packte die Gelegenheit beim Schopfe. Dank Internet fand ich schnell die passende Bleibe, ein wunderbares abgelegenes Refugium in Nähe der irischen Atlantikküste im Westen der Insel. Es war nicht das erträumte englische Cottage, aber es sah perfekt aus.

Die Reise begann mit unserer Städtetour in Dublin. Nach vier wunderbaren Tagen ging es für einen meiner Söhne zurück nach Deutschland. Zusammen mit meinem anderen Sohn machte ich mich mit der „Irish Rail" auf den Weg nach Westport. Er wollte mich bis dorthin begleiten und dann seiner eigenen Wege ziehen. Vor meiner Zeit der Stille durfte ich noch mit dem prallen irischen Pub-Leben in Kontakt kommen, der zweiten Heimat der meisten Iren. Den letzten gemeinsamen Abend verbrachten wir in einem kleinen rammelvollen Pub, wir waren die einzigen Touristen weit und breit. Auf einer schlichten Bühne standen dicht gedrängt ein paar Musiker in traditioneller Kleidung und spielten wunderbare, ebenfalls traditionelle irische Volksmusik. Mein Sohn hatte mir ein Guinness spendiert. Ich genoss es mehr ihm zuliebe, aber die Klänge der zum Teil uralten Lieder fanden einen direkten Weg zu meinem Herzen.

Ab Westport hatte ich mir einen Leihwagen organisiert, mit dem ich die restlichen Meilen zurücklegen wollte. Am nächsten Morgen, noch erfüllt vom letzten Abend, verabschiedete ich meinen Sohn und machte mich auf den Weg. Jetzt gab es kein Zurück mehr. Das Häuschen, das mich erwartete, war so, wie ich es mir vorgestellt hatte. Die Bilder im Internet hatten nicht gelogen. Die einzige andere Person im größeren Umkreis war die Vermieterin, doch mein Rückzugsort war romantisch eingewachsen und von ihr nach dem Check-in weit und breit nichts mehr zu sehen. Ich war ganz für mich. Meine einzige Gesellschaft war eine Schafherde, deren Weide an meinen Zaun grenzte. Eigentlich schließe ich gerne Freundschaften mit Tieren, doch die Herde war einfach zu groß, jedes einzelne Tier ging darin unter.

Drinnen im Häuschen fühlte ich mich sofort pudelwohl, es hatte alles, was ich brauchte. Eine kleine Küche, einen Holzofen und vor allem ein fantastisches Panoramafenster mit dazugehörigem Ohrensessel. Mein neuer Lieblingsplatz. Dort saß ich viele Stunden, eingehüllt in eine kuschelige Decke, meinen geliebten Englischen Tee genießend. Mein Blick konnte hier den Bewegungen der grasenden Schafe folgen, ein großer Organismus. Oft hatte ich meine Augen eher nach innen gerichtet, hielt Innenschau, tauchte ein in meine „Fühlzeit", meditierend, kontemplierend, meine Gedanken und Gefühle konnten schweifen, und ich ließ ihnen ihre Zeit und ihren Rhythmus.

Der Testlauf für meine Errungenschaften war eine Bestätigung meiner Vermutungen. Nur einmal war ich wirklich gefordert.

In der ersten Nacht musste ich dringend zur Toilette, doch die lag außerhalb, in einem kleinen Extrahüttchen. Der Wind brauste, die Fensterläden klapperten, Käuzchen stießen ihre Rufe aus, draußen war es stockdunkel. Eigentlich gab es keinen Grund, Angst zu haben, doch mir war unheimlich zumute. Was, wenn ein Dieb in mein Häuschen eindringen würde? In meiner Fantasie war die irische Pampa voll von Ganoven, die nur darauf warteten, allein reisende Frauen zu überfallen. Sollte ich mein Häuschen besser absperren, um meinen Laptop in Sicherheit zu wissen? Sollte ich auch das Toilettenhäuschen von innen verriegeln, damit mir niemand etwas antun könnte? Könnte ich meine Bedürfnisse bis zum Tagesanbruch unterdrücken, um gar nicht rauszumüssen? Letzten Endes nahm ich all meinen Mut zusammen und wagte mich hinaus. Wie durch ein Wunder überlebte ich den mit Fallen und Ungeheuern gepflasterten Weg durch den Garten.

Doch von Tag zu Tag wurde ich entspannter mit der unvertrauten nächtlichen Geräuschkulisse, der Weg zum Toilettenhüttchen wurde zur Gewohnheit, die Ungeheuer zogen sich zurück und mehr und mehr Gelassenheit breitete sich in mir aus. Die Tage waren erfüllt von ausgiebigen Spaziergängen an der steinigen Küste, die auch ohne Klippen beeindruckend schön waren. Ich wanderte ohne Ziel, folgte meinem Rhythmus. Es gab nichts zu erreichen, nichts zu erfüllen, nichts zu leisten. Ich war mir selbst genug und fühlte mich glücklich.

Ich kenne etliche Menschen, die sich immer Mal wieder Zeit nur für sich nehmen, die sich ein kleines Häuschen mieten, so wie ich, die zum Wandern gehen oder sich eine Wellnesszeit gönnen. Alle berichten von sehr positiven Erfahrungen, wie gut es ist, sich ab und an auf sich selbst zu besinnen. In welcher Form auch immer dies geschieht.

Vielleicht ist eine Zeit nur für dich in dir ebenfalls ein schlummernder Traum. Wie immer du sie füllst. Es geht um dich, um deinen Rhythmus, um deine Bedürfnisse. Enjoy!

FREUNDLICHKEIT

Für mich gehen Arbeit und Leben am besten Hand in Hand. Es ist mir wichtig, zu allen Leuten am Set ein freundliches Verhältnis zu haben. Wie im Privaten schätze ich im beruflichen Alltag ebenfalls zwischenmenschliche Wärme. Die Art und Weise des Kontakts ist für mich eine wesentliche Komponente der Dreharbeiten, auch wenn das Hauptaugenmerk natürlich auf dem Erfolg des Films liegt. Ein nettes Wort zu wechseln mit Technikern, Kostüm- und Maskenbildnern, den Leuten vom Catering und allen anderen vom Team.

In den Anfangsjahren wurde ich wegen der allgemeinen Hektik am Set noch schnell nervös oder bekam Herzrasen. Im Stressmodus wird es schwieriger mit der Freundlichkeit. Wir werden entweder reizbar, manche gehen schon bei Kleinigkeiten in die Luft oder wir flüchten uns in diverse andere Bewältigungsstrategien und Verhaltensmuster. Mein bevorzugtes Stressbewältigungsverhalten war die Quengelqueen, wie ich sie heute nenne, eine nahe Verwandte der Dramaqueen. Die Dramaqueen versucht, durch ihr explodierendes Drama Aufmerksamkeit zu bekommen, ich als Quengelqueen implodierte in mich hinein und war mit meiner Aufmerksamkeit kontinuierlich an mein eigenes Drama gefesselt. Im Resultat wird es in diesen Mustern sehr schwierig, einen netten und warmen zwischenmenschlichen Kontakt zu pflegen.

Der frühe Stress liegt heute weit hinter mir. So schnell kann mich am Set nichts mehr aus der Ruhe bringen, und ich kann die Freundlichkeit pflegen, die mir wichtig ist.

Das Pflegen erscheint mir als der zentrale Bestandteil, wenn es um das Freundlichsein geht. Die Freundlichkeit als einen Wert in seinem Herzen und Geist zu tragen und diesen Wert zu pflegen, sich innerlich darauf auszurichten. Gerade auch in Situationen, die herausfordernd sind, wenn die Nerven mal blank liegen.

Wenn ein Team unter Hochdruck arbeitet, gibt es immer wieder angespannte und explosive Situationen. Die meisten Filmproduktionen stehen unter immensem Zeitdruck. Nicht selten brechen dann auch mal Ärger und Unmut durch. Wenn jemand eine Einstellung verpatzt und wir sie wiederholen müssen, ist das manchmal stressig für alle. Häufig wird viel Kritik geübt. Diese nicht zu persönlich zu nehmen und auch dann noch freundlich zu bleiben ist für jeden am Drehort ein echter Lernschritt.

Die Arbeit am Set ist eine große Schule der Kommunikation – und des Teamworks. Ein Film ist das Ergebnis zusammenarbeitender Menschen, und je besser die Stimmung, desto mehr Spaß macht die Arbeit. Die Zwischenmenschlichkeit zu pflegen ist oft eine Win-win-Situation. Freundlichkeit kannst du überall und jederzeit pflegen. Ein Lächeln für den Busfahrer oder die Kassenfrau, ein nettes Wort für die Arbeitskollegen. Enjoy!

LADY TEA

„Its not my cup of tea“, pflegte meine Mutter mit einer feinen Nuance an Hochnäsigkeit zu sagen. Die britische Variante von „das ist nicht mein Bier“. Damit machte sie deutlich, wenn etwas in ihren Augen keinesfalls in ihren Zuständigkeitsbereich fiel. In diesen Momenten leuchtete eine fast aristokratische Attitüde auf. Meine britische Seele hat sich daran immer erfreut, auch wenn ich gar nicht genau sagen kann, warum. Die Royals lösen keine Begeisterungsstürme in mir aus und arrogantes adeliges Verhalten liegt so gar nicht auf meiner Linie. Ich glaube, in diesen Momenten hat sie auf wunderbare Weise den schottischen Widerstandsgeist verkörpert, den sie als geborene McEwen-Read letztlich in sich trug. Ihre Attitüde war wohl weniger eine englische als eine feine schottische Art. Aber ob schottisch oder englisch, ich liebte diese Haltung. Meine Familie und Freunde kennen diese Seite von mir nur zu gut und der Korrektheit halber bleiben wir für jetzt bei der feinen englischen Art.

Als ich den Spruch „Make tea not war" das erste Mal auf einer Tasse las, ging mir sofort das Herz auf. Nicht nur wegen der Anlehnung an das Original „Make love not war", sondern weil er zum Ausdruck bringt, wie lebensverändernd die Teatime sein kann.

Wichtiger als alles andere auf der Welt. Ich bin mit schwarzem Tee groß geworden, habe ihn praktisch schon mit der Muttermilch aufgesogen.

Früh habe ich meine Mutter fasziniert beobachtet, wie sie den losen schwarzen Tee in ein Sieb füllte, ihn mit kochendem Wasser aufbrühte. Ihr „Teapot" war aus feinstem Porzellan, mit herrlichen englischen Rosen bemalt. English Breakfast Tea am Morgen und am Nachmittag selbstverständlich Earl Grey, das war das tägliche Ritual. Zwar hatte ich schon als Fünfjährige meine erste eigene Tasse, in die mir meine Mutter den stets selbst gemachten schwarzen Tee einschenkte, aber die Zubereitung des „heiligen" Getränks blieb mir lange verwehrt. Ich musste elf Jahre alt werden, bis mir diese Ehre zuteilwurde. Und das bei mir, die ich bei meiner Oma schon als Fünfjährige meinen eigenen Kakao auf dem Gasherd zubereitete.

Eine weitere englische Weisheit, die meine Mutter mit ihrer engelhaften Stimme gerne von sich gab, war: „It's not worth crying over spilled milk, sweetheart" (es ist es nicht wert, über vergossene Milch zu weinen). Es bedeutet, dass es nicht schlimm ist, wenn einmal etwas danebengeht, doch trotzdem ließ sie mich erst so spät an das Aufbrühen ran. Was soll's! An den Wochenendnachmittagen saßen wir dann zusammen auf unserem cremefarbenen Sofa, in unserer wunderschönen Altbauwohnung in Hamburg-Winterhude, Laura Ashley Gardinen zierten unsere Fenster, und hielten Teekonversation: „Ah, a perfect cupper" – eine perfekte Tasse Tee. Diese gehörten zu den wenigen zauberhaften und innigen Momenten im Kontakt mit meiner Mutter. In den gemeinsamen Teestunden konnte ich ihr so nah sein, wie es zumindest größtenteils meiner Sehnsucht entsprach.

Dies veränderte sich erst, als ich zu pubertieren begann. Der Nachmittagstee auf dem cremefarbenen Sofa rückte in die zweite Reihe, eine stille Form der Rebellion. Teatime wurde albern, loser Tee wurde viel zu aufwendig, wofür gibt es Teebeutel. PG Tips wurde die schnelle und einfache Variante. Zugegeben, vom Schwarztee kam ich nicht los, den wollte ich nicht wegrebellieren.

Wikipedia berichtet, dass in England täglich immerhin an die 35 Millionen Tassen PG Tips getrunken werden. Der moderne Brite scheint seine Teezubereitung ebenfalls zu vernachlässigen. Doch ob dreieckige Teebeutel oder loser Tee, ob grün, ob schwarz oder auch weiß, mit Kräutern, Aromen, exotischen Fruchtstücken, ob stark, so wie ich ihn liebe, oder mild, ob morgens oder nachmittags.

Tee kann dich unterstützen, deiner inneren Weisheit zu lauschen oder anderen Menschen näherzukommen – „Make tea not war“. Sich zusammen oder alleine auf dem Sofa niederlassen, it's teatime, und wenn du im Stress bist, kannst du auf ein deutsches Sprichwort zurückgreifen: „Abwarten und Tee trinken“. Enjoy!

LET'S GO CRAZY

Ein weiser Lehrer aus Indien hat einmal gesagt, dass es gelegentlich guttut, willentlich „verrückt“ zu spielen. Laut ihm schütze es vor Burnouts. So weit würde ich mich persönlich jetzt nicht aus dem Fenster lehnen. Doch die folgende Übung ist definitiv eine Art Schnellschleudergang für dein inneres Befinden und kann ein echter Katalysator für versackte Lebensenergie sein. Das Ganze spielerisch zu betrachten ist eine gute Voraussetzung. Viele Menschen sind daran gewöhnt, Unangenehmes zu schlucken und Stress mit Süchten und anderen schädigenden Verhaltensmustern zu kompensieren.

Warum nicht ein wenig mehr die Sau rauslassen, statt zu schlucken, dich zurückzuhalten oder zu kompensieren? Es geht dabei nicht darum, andere anzumachen, sondern lediglich deiner Energie freieren Lauf zu lassen.

Ich hatte schon in jüngeren Jahren meine Freude daran, immer wieder mal ein bisschen „crazy“ zu werden. Ich liebte es, mit meiner wilderen Seite in Kontakt zu kommen. Mal kräftig im Wald schreien, wo es niemanden stört, beim Tanzen die Schuhe auszuziehen sind zwei meiner Klassiker. Neulich war ich mit meinem Lebensgefährten abends auf dem Heimweg. Unsere Stimmung war ein wenig im Keller. Zum Glück hatten wir den Impuls für eine „Let's go crazy"-Einheit. Der Song, den wir brauchten, war schnell gefunden, die Lautstärke auf Anschlag, und dann flogen unsere Köpfe zur Musik. Vor allem meiner, mein Partner musste ja noch die Straße im Auge behalten, aber er konnte kräftig mitgrölen. Ich kenne kaum einen Menschen, der keinen Spaß daran hat, seine Sau mal ungehemmt rauszulassen. Die meisten tun es nur nicht, vor allem wenn sie älter werden. Außer vielleicht in Köln zur Karnevalszeit, aber da ist meist viel Alkohol im Spiel.

Wir haben an dem Abend übrigens eine Extrarunde gedreht. Wir hatten plötzlich so viel Spaß, wir wollten den Moment noch länger auskosten. Danach war unsere Energie wie verwandelt.

„Go crazy" kann alles sein. Du musst nicht unbedingt brüllen wie ein Löwe. Es geht darum, dir Impulse zu erlauben, die du ohnehin in dir trägst. Vielleicht möchtest du ab und an als schnatternde Gans durch deine Wohnung laufen, Purzelbäume machen wie ein Kind, aber bedenke dein Alter. Vielleicht läufst du eigentlich gerne barfuß, erlaubst es dir nur nicht, da du diese komische Stimme im Kopf hast, die dir sagt, dass man das nicht macht.

Wenn ich lange am Computer sitze, beispielsweise beim Schreiben dieses Buches, ziehe ich gerne mal kurz die Socken aus und renne barfuß ums Haus herum. Hinter mir mein Partner, der es liebt, wie ein Wikinger zu brüllen. Was würdest du gerne tun? Welche „verrückten" Impulse hältst du zurück? Welche Stimmen in deinem Kopf sind deine persönlichen Spaßbremsen? „Go crazy!" Enjoy!

LAMPENFIEBER

Der Albtraum vieler Schauspieler:innen ist, nackt auf der Bühne zu stehen und den Text nicht zu können. Lampenfieber kann einer der Zustände sein, die man am liebsten vom Hof jagen möchte, und auch ich kann ein Liedchen davon singen. Als junge Schauspielerin, gerade volljährig, konnte ich vor anspruchsvollen Drehtagen, bei denen der Focus stark auf mir und meiner Darstellung lag, oft tagelang nicht richtig essen. Angstpinkeln am Set auf „wohlduftenden" Dixi-Toiletten war an der Tagesordnung. Lampenfieber hat eigentlich auch positive Seiten, ähnelt es doch der Verliebtheit – der Blutdruck steigt und die damit einhergehende Erregung erhöht die Bereitschaft, alles zu geben, alles zu investieren. In der richtigen Dosis kann es motivierend sein. Doch ich erlebte an manchen Tagen eine „Überdosis".

Meine Stressreaktion als junge Schauspielerin, die mich manchmal derart außer mir sein ließ, hatte eine Vergangenheit, und diese begann im Klassenzimmer. Als Legasthenikerin habe ich permanent erlebt, dass ich schulische Ansprüche, die andere Kinder mit Leichtigkeit erfüllten, nicht meistern konnte.

Der Albtraum meiner Kindheit war, vor meiner 40-köpfigen Klasse zu stehen und vorlesen zu müssen. Alle Augen auf mich gerichtet, ich schwitze, mein Herz rast und stotternd und stockend mühe ich mich mit den Wörtern und Zeilen ab. Finger fangen an, auf mich zu zeigen, die Klasse beginnt in allgemeines Gelächter auszubrechen und ich weiß nicht mehr, wohin mit mir. Zum Glück war ich nie einer derartigen Situation ausgesetzt, doch meine Ängste schienen so real wie die Wirklichkeit.

Und dann, als 18-Jährige, war die Aufmerksamkeit tatsächlich auf mich gerichtet, die Kamera, das Licht, der Ton, das gesamte Team, und plötzlich tauchten die Albträume meiner Kindheit auf, die Angst, die Erwartungen nicht zu erfüllen. Dahinter lauert immer die Scham, einer der unangenehmsten inneren Zustände. Wer schämt sich schon gerne? Wer tritt nach vorne und sagt: „Ich schäme mich gerade. Wie toll!"

In vielen beruflichen Situationen war ich damit konfrontiert, und ich habe dabei gelernt, dass Scham und Scheu letztlich nicht zu umgehen sind. Dass der Versuch, diese Gefühle wegzudenken, einen riesigen Rattenschwanz nach sich zieht – alle Ratten mögen mir verzeihen. Wenn ich dagegen meinen inneren Widerstand aufgebe, mich auf meine Scham und Scheu einlasse, werde ich automatisch ruhiger und auch handlungsfähiger. Alle meine Emotionen sind Bestandteile meines beruflichen Alltags: Freude, Trauer, Angst und auch Scham und die Aufregung des Lampenfiebers. Dank meinem Beruf war ich gefordert, mich mit vielen emotionalen Zuständen und vor allem auch meiner Scham auseinanderzusetzen. Ich konnte sie nicht von mir fernhalten.

Meines Erachtens liegt ein Großteil des allgemeinen Stressempfindens im Alltag von uns Menschen darin begründet, dass viele Gefühle und innere Zustände beiseitegeschoben werden. Wie wäre es, wenn Gefühle einen selbstverständlicheren Platz in unserem Miteinander hätten? Wenn wir darauf zugehen würden, anstatt vor ihnen wegzurennen?

Wenn ich heute spüre, dass Lampenfieber im Anmarsch ist, kann ich es begrüßen wie einen guten alten Freund. Wir stehen Seite an Seite vor der aufregenden Herausforderung, die auf uns wartet.

Kennst du das auch? Vor einer Herausforderung zu stehen und zurückzuweichen? Aus Angst oder Scham oder Scheu? Wie wäre es, dir beim nächsten Mal einen Ruck zu geben und dann voller Aufregung einen Schritt nach vorne zu gehen? Enjoy!

PANTHER-MODUS

Rainer Maria Rilke spricht von einem Panther, der hinter Stäben gefangen trauert, doch hat mein Herz zwei Sätze aus dem berühmten Gedicht „Der Panther" herausgelöst, um sie von der Kargheit des Käfigs zu befreien und ihnen ihre verdiente Freiheit zu geben: „Der weiche Gang, geschmeidig starker Schritte" und „ist wie ein Tanz von Kraft um eine Mitte". Besser kann der Modus, um den es jetzt gehen wird und der meinem Leben in unregelmäßigen Abständen Überraschungsbesuche abstattet, kaum beschrieben werden. Panther oder Katzen im Allgemeinen, ob groß oder klein, strahlen für mich eine geradezu magische und anziehende Ästhetik aus. Ihr feines Lauschen, ihr scharfer Blick, ihre Spürnasen und ihre Schnurrhaare, die auch als Sinushaare bezeichnet werden, feine Antennen, mit denen sie tasten und fühlen. Zudem ihre Geschmeidigkeit, mit der sie sich lautlos durch ihre natürliche Umgebung bewegen oder pirschen, verankert im gegenwärtigen Augenblick. Sie sind eins mit allem.

Mein Panther-Modus ist ein innerer Zustand, den ich nicht bewusst erzeugen kann. Er erscheint zufällig in mir, meistens dann, wenn ich in der Natur unterwegs bin. Es ist wie eine plötzliche Verschiebung, als würden meine Sinne geschärft, mein Sehen, Riechen, Hören und Tasten. Es sind jedoch nicht die Sinne, die diesen Zustand hervorrufen, es ist eine unvermittelte Klarheit meines Geistes. All die Gedanken, die alltäglich wie selbstverständlich in die Vergangenheit abschweifen oder sich in der Zukunft zu schaffen machen, treten mit einem Mal zur Seite. Mein Körper, meine Bewegungen, meine Sinneswahrnehmungen und mein Geist werden zu einer größeren Einheit. Ein ursprünglicher und zutiefst natürlicher Zustand. Meine Schritte werden geschmeidig, meine Sinne hellwach, mein Geist wird scharfsinnig und klar. Zum einen lässt mich der Panther-Modus in den gegenwärtigen Augenblick eintauchen, ich werde eins mit mir und meiner Umgebung, zum anderen bin ich empfänglich für Einsichten, Inspiration und neue Ideen. Sie bewegen sich wie ein frischer Wind in meinem Geist, werden nicht sofort in gedanklichem Aktionismus eingeengt.

Ich habe etliche Versuche unternommen, diesen Zustand bewusst herzustellen, doch ist mir das nie gelungen. Den Panther-Modus kann ich nicht machen, ich kann mich ihm nur hingeben, wenn er mich besuchen kommt.

Ich gehe gerne im Wald spazieren, der sich in unmittelbarer Reichweite zu meinem Zuhause befindet. Rehe sind da keine Seltenheit. Wie die Panther gehören auch sie zu meinen Lieblingen, sie erinnern mich an die grazile Feinheit und englische Zartheit meiner verstorbenen Mutter. Neulich liefen mir ein paar von ihnen direkt vor meiner Nase über den Weg. Spontane Freude tauchte auf. Wenn ich plötzlich Tiere erhasche, springt mein Herz immer noch in kindlichem Lachen in die Höhe. Doch sie waren so schnell verschwunden, wie sie gekommen waren. Rehe können auf eine erstaunliche Art und Weise schlagartig wieder unsichtbar werden. Plötzlich fühlte ich die bekannte Verschiebung in mir. Mein Panther-Modus wollte die Führung übernehmen und ich überließ sie ihm gerne. Meine Sinne geschärft, verließ ich den Weg, um den wilden Rehen zu folgen. Geräuscharm begab ich mich ins Dickicht, leise schleichend, darauf achtend, nicht auf Totholz oder Schneckenhäuser zu treten. Ich gab meinen Sinnen einen Spielplatz. Meine Ohren aufgestellt, mein Atem still und bewusst, die Gerüche des Waldes schnuppernd, meine Augen konzentriert und gleichzeitig auf Weitwinkel gestellt, mein Geist klar und wach, pirschte ich durch den Wald, meinen geliebten Rehen folgend.

Ich tauchte ein in meine sinnliche Wahrnehmung und überließ mich ihr. Es muss lustig ausgesehen haben, eine rothaarige Frau mit orangefarbener Mütze, knalltürkiser Weste und fetten Boots. Meinem Pirschen haftete äußerlich nichts Archaisches an, doch ich genoss, mich verbunden und abseits der Pfade durch den Wald zu bewegen. Der frische Wind der Einsichten und Inspirationen wehte mir an diesem Tag nicht durch meinen Geist. Es ging einzig darum, mehr mit dem Wald und den Elementen zu verschmelzen. Im gegenwärtigen Augenblick zu sein. Die Rehe blieben verborgen, aber meine Gedanken hielten ohnehin nichts fest. Wie weich der moosbedeckte Waldboden war und ah ... die würzige Luft.

Wie kann dir der Panther-Modus ein Tool sein? Ich kann ihn ja selbst nicht machen und deshalb keine Anleitung dafür geben. Es fühlt sich für mich an wie ein leicht veränderter Bewusstseinszustand, als würde mir eine Gnade zu Teil. Die Hürde war für mich gewesen, mich diesem veränderten Zustand hinzugeben. Mir zu erlauben, ein wenig „verrückt" auszusehen, wenn ich katzenhaft durch die Gegend schleiche, und meinen Ängsten und Befürchtungen nicht zu gestatten, den Panther-Modus einzuschränken. Ich glaube, es gibt sehr viele Menschen, die unterschiedlichste, nicht ganz alltägliche Zustände in sich tragen und kennen. Ich glaube auch, dass diese inneren Modi bei nicht wenigen mit Ängsten und Befürchtungen verbunden sind, nicht normal zu sein, komisch dazustehen, als ein wenig verrückt angesehen zu werden. Bist auch du einer dieser vielen Menschen? Kannst du fühlen, dass mit dir alles in Ordnung ist, wenn du dir die Zeit nimmst, dir tiefer zu lauschen? Wenn deine Antwort ja ist ... Enjoy!

BAUCHGEFÜHL

Eigentlich mag ich dieses Wort nicht – Bauchgefühl. Es erinnert mich meist an mein Körpergefühl nach der Weihnachtsgans, die bei meiner Mutter und mir eine traditionelle englische Pute mit „Stuffing" (Füllung) war. Anschließend gab es typischen, ebenfalls englischen Christmas Pudding.

Eine Art saftiger Stollen, der mit Unmengen von Brandy übergossen, angezündet und als Nachtisch durchs dunkle Zimmer zum Esstisch getragen wurde.

Wir waren meistens zu zweit, aber das Weihnachtsessen wäre einer Großfamilie gerecht geworden. Das verbinde ich mit Bauchgefühl. Wie um alles in der Welt soll ich meinen mit Pute und Pudding überfüllten Bauch mit der wunderbaren Gabe körperlicher Intuition zusammenbringen? In meiner zweiten Heimat England gibt es natürlich auch ein Wort dafür: „What does your gut say?“ The gut, der Darm. Was sagt mein Darm dazu?

Na ja, Völlegefühl, Blähungen von zu viel weizenhaltiger traditioneller Süßspeise. Auch nicht so appetitlich und hilfreich. Im Englischen und im Deutschen bleibt noch die einfache Frage: „Wie fühlst du dich damit?“ Darum geht es, die Weisheit unserer emotionalen Resonanz, die uns im Leben Hinweise geben kann, die wir aber auch trainieren müssen, wenn wir sie nutzen wollen. Üben heißt auch Fehler machen, um ein Gespür dafür zu entwickeln, wann uns unsere gefühlten inneren Antworten, die wir auch mit unserem Körper wahrnehmen können, den richtigen Weg weisen und wann sie uns in die Irre führen.

Über lange Jahre habe ich in Wiesbaden die Serie „Der Staatsanwalt“ gedreht. Die imposante hessische Hauptstadt mit ihren Parks, Kirchen, Marktplätzen und den vielen alten, gut erhaltenen, wunderschönen Villen ist in meinen Augen ein wahres Schmuckstück unter den deutschen Städten. Zu den umfangreichen Dreharbeiten hatte ich gewohnheitsmäßig im Hotel gelebt, doch vor einigen Jahren wurde mir das Leben im Etagenzimmer inklusive unruhigem Frühstückssaal immer unangenehmer. Ich brauchte eine eigene Wohnung für die langen Zeiten, die ich in Wiesbaden verbrachte.

Eifrig begann ich, nach einem für mich passenden, gemütlichem Refugium für mich zu suchen. Das stellte sich als nicht so einfach heraus, weil entweder unbezahlbar oder zu weit außerhalb. Dann endlich, nach einigen Wochen, entdeckte ich die passende Anzeige.

Zumindest signalisierte mir das mein Darm. Alte Villa, Wohnung im Dachgeschoss, direkt am Kurpark und dann noch bezahlbar. Kaum zu glauben. Mein „Bauchgefühl" machte Purzelbäume und ich hatte ein unglaublich gutes Gefühl. Sofort habe ich mir einen E-Roller gemietet und bin hingebraust, um mir einen ersten Eindruck von außen zu verschaffen. Sah gut aus. Auf meine Eingeweide konnte ich mich verlassen.

Am Tag der Besichtigung war nach wenigen Sekunden klar, dass ich dort nicht wohnen würde. Die Atmosphäre war kalt und fast ein bisschen gruselig. Alles war staubig und dunkel. Es war alles andere als schön. Klar, ich hätte es mir irgendwie gestalten können – Heizung an, Staubsauger raus, Gardinen weggebunden, Postkarten aufgehängt, eine Topfpflanze gekauft und am Abend eine schöne Kerze entzündet. Das wäre Augenwischerei gewesen. Jetzt konnte ich mich wirklich auf mein „Bauchgefühl" verlassen. Überdeutlich signalisierten mir mein ganzer Körper und alle darin lebenden Gefühle, dort nicht einzuziehen. Die Kurparknähe würde den Rest nicht wettmachen.

Insofern hatte ich doch noch eine kleine Lektion gelernt, was es heißt, mich auf meine Gefühle zu verlassen. Ich habe dann relativ schnell eine andere Wohnung gefunden, die mir behagte. Welch ein Glück. Wie ist es, wenn du irgendwo unterwegs bist und ein mulmiges Gefühl bekommst? Oder dir dein Körper Signale sendet, durch Anspannung oder Unwohlsein? Hörst du auf deine Gefühle? Führen deine inneren Signale dazu, dass du Situationen veränderst, in denen du steckst? Oder überhörst du die oft sehr leise Stimme, die dir etwas Wichtiges sagt? Ignorierst du dein Bauchgefühl – „what does your gut say"? Ich mag die Worte immer noch nicht, aber ich kenne auch noch keine besseren. Deshalb Hand aufs Herz und in Gottes Namen auch auf den Bauch. Enjoy!

DER RADAR

Seit meiner Kindheit bin ich daran gewöhnt, sehr viel wahrzunehmen. Es handelt sich um eine Art feinsinnige Empfindsamkeit, die mir reichhaltige Eindrücke von der Welt verschafft und ermöglicht. Ich nenne diesen Wahrnehmungsmodus meinen Radar.

Es ist wie ein natürlicher Dauermodus in mir, den ich täglich benutze. Man könnte sagen, ich übe mich darin, doch dieses Üben ist eher ein kontinuierliches Spiel. Es ist, als würde ich sensitive Antennen in alle Himmelsrichtungen ausstrecken, ein müheloser und normaler Vorgang. Häufig nehme ich so Dinge wahr, die andere nicht mitbekommen.

Meist sind dies unspektakuläre kleine Begebenheiten. Und auch wenn sich manche Erlebnisse von anderen abheben, zeigt sich mein Radar im Normalmodus im Alltag häufig auf eine dezente Art und Weise. Letztens war ich beim Einkaufen und eine fremde Frau lief an mir vorbei. Ich sah sie an, stutzte, war kurz irritiert. Ein paar Schritte weiter drehte ich mich nach ihr um und bemerkte einen einzelnen Handschuh auf der Straße liegen. Sie hatte ihn verloren. Ich bin ihr natürlich nach, um ihn ihr zurückzugeben.

Es würde mich brennend interessieren, auch als Schauspielerin mal in eine Rolle zu schlüpfen, die mit einer Art sechstem Sinn zu tun hat. Die Idee schlummert schon lange in mir, spätestens, seit ich Ende der 90er die US-Krimi-Serie „Profiler" gesehen habe. Die wunderbare Ally Walker spielt darin die feinfühlige Gerichtspsychologin Samantha, die die Fähigkeit besitzt, unausgesprochene Gedanken und Gefühle von Personen zu erfassen, intuitiv Tathergänge zu rekonstruieren und Täter durch diese besonderen Fähigkeiten aufzuspüren.

Für mich sind subtilere Wahrnehmungen und Empfindungen höchst spannende Zugänge zum Leben. Ich fühle mich mit meinem Zugang in diesem Bereich sehr vertraut und hätte wahrscheinlich großen Spaß dabei, damit zu experimentieren, wie ich solche Fähigkeiten darstellerisch in einer Filmrolle umsetzen könnte.

Zurück zum realen Leben und zu den Möglichkeiten, wie du deinen Radar trainieren kannst. Im Alltag temporär langsamer zu werden, ist eine gute Ausgangslage. Für ein paar Momente innezuhalten. Dann stellst du dir vor, du würdest Antennen ausstrecken, die sensitiv und höchst empfindsam sind. Jetzt bist du bereit für den Datenempfang. Ein besseres Wort habe ich nicht dafür. Ich denke dabei an die riesigen Schüsseln, die auf den Weltraum ausgerichtet sind und die Signale erdnaher und auch erdferner Satelliten empfangen.

Entscheidend ist eine offene und erwartungsfreie innere Haltung. Sei offen für alles. Vielleicht empfängst du viel und deine Eindrücke sind überaus deutlich, vielleicht bekommst du eher vage Informationen. Ich empfange häufig Impulse, denen ich gelernt habe zu folgen. Probiere das aus, wenn du möchtest, und ganz wichtig – bleibe neugierig und spielerisch. An manchen Tagen ist möglicherweise komplette Funkstille. Auch das gehört dazu. Enjoy!

BLINDWALKS

Die sogenannten Blindwalks („blind" spazieren gehen) habe ich in meiner Zeit in Esalen kennengelernt. Blindwalks sind eine wunderbare Möglichkeit, die Natur mit all deinen Sinnen zu erleben. Du brauchst für diese Übung natürlich einen/eine Partner:in. Alleine müsstest du schon tollkühnen Wagemut aufbringen, dich mit geschlossenen Augen durch den Wald zu bewegen, oder zumindest wäre ein stabiler Helm mit Visier vonnöten.

Zu zweit kann es eine lustige und verspielte, aber auch stille und sehr sinnliche Erfahrung sein. Das Vorgehen ist schnell erklärt. Einem werden die Augen verbunden. Du brauchst also ein blickdichtes Tuch. Der andere führt. Gerade zu Beginn ist es für den Führenden gut, auf das Tempo zu achten. Langsamkeit ist hier Trumpf. Der Geführte braucht Zeit, sich daran zu gewöhnen, nichts zu sehen. Die meisten fühlen sich erst mal unsicher. Je länger der Blindwalk dauert, desto mehr kann der Mensch mit den verbundenen Augen in die Erfahrung eintauchen. Nimm dir also ruhig etwas mehr Zeit dafür. Meiner Erfahrung nach wird es ab 30 Minuten pro Person interessant. Wenn du der Führende bist, ist es wichtig, dir immer bewusst zu sein, dass der andere nichts sieht. Du bist der Sehende für beide. Und klar, jeder ist mal dran.

Nach Esalen machte ich diese „Walks“ gerne mit meinem damaligen Freund. Wir nutzten dafür den Hamburger Stadtpark, meine Lufthansa-Schlafmaske war eine hervorragende Augenbinde. Absolut blickdicht. Schummeln möchtest du ohnehin nicht, das würde dir ja die Erfahrung nehmen.

Der Führende nimmt den nicht Sehenden an die Hand oder legt den Arm um ihn oder sie und los geht es – ganz sutsche (s. S. 109). Als Führender hast du die Möglichkeit, deinen/deine Partner:in noch ein paar Bonuserfahrungen machen zu lassen. Du kannst beispielsweise seine/ihre Hand zu einem Blatt führen und so die Natur über den Tastsinn erfahren lassen. Oder du lässt ihn/sie die Rinde eines Baumes begreifen und erforschen. Den Tastsinn mit einzubeziehen ist eine aufregende Erweiterung. Natürlich kündigt der Führende dies immer an. Doch der Geführte weiß nie, was er gleich berühren wird. Es gibt ja nicht nur Bäume in der Natur. Die Hand könnte auch in kaltes Wasser eintauchen oder in Schlamm. Mit Ankündigung ist es nach einer gewissen Zeit auch einen Versuch wert, zusammen über eine Wiese zu laufen. Wenn der Geführte es möchte, kann auch mal die Hand losgelassen werden und ihr lauft ohne Berührung nebeneinander her. Genießt das Eintauchen in einen anderen Wahrnehmungszustand, in eine neue und andersartige Erfahrung der Welt. Enjoy!

AUGENBLICKE

Nach den Geburten meiner Kinder, als junge Mutter mit meinem sich zunehmend entwickelnden Selbstbewusstsein, fing ich an zu bemerken, dass ich im Kontakt mit Menschen nicht immer den direkten Augenkontakt halten konnte. Mein Blick fiel schnell auf den Mund des Gegenübers oder schweifte unruhig über das Gesicht. Zaghaft startete ich das Experiment, Gesprächspartner:innen direkt in die Augen zu schauen, nicht mehr auszuweichen. Ich ruhte durch das Muttersein und die dadurch höhere Sinnhaftigkeit viel mehr in meiner Gelassenheit. Meine Scham und die inneren Unsicherheiten waren weniger geworden. So war es leichter, mich auf dieses Vorhaben einzulassen.

Augenkontakt ist intim. Du siehst plötzlich viel mehr von der Person vor dir. Es sind unsere Augen, die Einblicke in unser Wesen gewähren, sie sind das Tor zu unserem Inneren. Direkter Blickkontakt ist auch eine Möglichkeit, deine Zuneigung zu zeigen. Oder du kannst deine Kraft signalisieren, wenn du mal gegenhalten musst. Das kennt man beispielsweise bei Hunden, sie können sich bei direktem Blickkontakt bedroht fühlen und den Eindruck gewinnen, herausgefordert zu werden.

Ich habe auch festgestellt, dass man beim Gespräch nicht ständig in die Augen des Gegenübers schauen kann. Es kann dich zu sehr ablenken oder sogar verwirren und dazu führen, im Gespräch den roten Faden zu verlieren.

Auf dem European Kundalini Yogafestival in der Nähe von Paris habe ich an einer Übung teilgenommen, bei der Zweiergruppen gebildet wurden. Aufgabe war, deinem Übungspartner gegenüberzusitzen und ihm dann eine Stunde lang schweigend in die Augen zu blicken. Die Flut an Emotionen, die ich dabei erlebte, war überraschend für mich. Das hatte ich so nicht erwartet. Ich fühlte Liebe, Ärger, Scham, Traurigkeit, Erregtheit, Schläfrigkeit, Misstrauen, Schwindel, eine Art Trance. Mein Gegenüber hatte ähnlich intensive Zustände.

Vielleicht springt deine Neugier an und du schlägst diese Übung für einen Samstagabend vor. Mit einem Freund, einer Freundin, dem Ehemann, der Ehefrau. Es muss ja nicht gleich eine ganze Stunde lang sein. Doch schau dem Menschen direkt und schweigend in die Augen und lass auf dich wirken, was dabei passiert.

Du hast auch die Möglichkeit, in deinem Alltag darauf zu achten, den Menschen, denen du begegnest, mehr in die Augen zu schauen.

Es ist für mich nach wie vor eine Praxis, gerade auch mit Persönlichkeiten, die mich im ersten Moment einschüchtern. Doch gerade dann den Mut aufzubringen hinzuschauen, bringt jeden Sockel, auf den man jemanden gestellt hat, ins Wanken.

Manchmal liebe ich es, meine Augen ganz bewusst für ein paar Momente zu schließen, gerade auch im turbulenten Durcheinander am Set oder am Bahnsteig, wenn ich auf den Zug warte. Augen zu, atmen, Schultern entspannen, und wenn du magst, fährst du deine sensitiven Antennen aus. Doch das ist eine andere Übung. Enjoy!

LAUSCHEN

Lauschen ist meiner Meinung nach eine wahre Kunst. Es geht hierbei nicht darum, ein absolutes Gehör zu entwickeln, sondern um ein inneres Lauschen und eine Art, den Raum um dich herum mit der Sensitivität deiner Ohren zu erfassen. Ein Hören auf die Zwischentöne, auf das Nichtoffensichtliche. Wie der sechste Sinn ist es ein rezeptiver, empfangender Zustand. Du lenkst deine Aufmerksamkeit auf deine Ohren. Wichtig ist, dich dabei nicht anzustrengen. Gehe behutsam vor, und versuche, deinen Gehörsinn, so gut wie möglich, zu entspannen. Von Rilke stammen die Zeilen: „Vor lauter Lauschen und Staunen sei still, du mein tief tiefes Leben …"

Du lauschst in die Stille hinein und bist wach für das, was kommen mag, vielleicht aus der Tiefe deines Lebens. Welche Sprache sprechen deine Gefühle, wie klingt die Stimme deines Herzens? Unsere Empfindungen und Emotionen warten auf uns häufig in den leisen Zwischenräumen. Eine ruhige Umgebung ist für diese Übung unterstützend.

Schließe deine Augen, um dann dir selbst zuzuhören, deinem Körper zu lauschen, deinen Gefühlen und, wenn du möchtest, auch dem Raum, der dich umgibt.

Wenn du ein wenig Übung entwickelt hast, kannst du auch noch etwas gänzlich Gegensätzliches ausprobieren, die Kunst, mit Lärm umzugehen. Wie ist es, in einer Bahnhofshalle zu lauschen? Mit all den vielen Geräuschen, den quietschenden Zügen, dem Rattern der Rollkoffer, dem Stimmgewirr, den Lautsprecherdurchsagen. Viele Menschen erleben solche Umgebungen als störend und unangenehm, auch ich selbst. Probiere doch einfach mal aus, an einem solchen Ort auf den Lauschmodus umzustellen. Welche Erfahrungen machst du an lauten Plätzen? Wie unterscheiden sie sich von den leisen? Enjoy!

ORANGE

Vive la France – ein sehr heißer Sommer in Frankreich zwischen Paris und Orléans in der Region Centre-Val de Loire. Ich sitze in einem riesigen, komplett mit Stroh ausgelegten weißen Festzelt und halte eine köstliche Orange in der Hand, wie etwa tausend weitere Menschen in diesem Zelt. Tausend Menschen, tausend Orangen, keiner wusste, was er damit anfangen sollte, nur dass es sich wahrscheinlich um eine yogische Praxis handelte, die folgen würde. Ich bin auf dem Kundalini Yoga Festival, um mich herum Yogapraktizierende aus aller Herren Länder. Auf diesem Festival werden nicht nur Asanas (Bewegungsabfolgen), Atemtechniken und Meditation unterrichtet. Es gibt Workshops für indischen Schwertkampf, Kurse für Selbsterfahrung, Kinderbetreuung, einen Marktplatz mit unterschiedlichsten Ständen, die köstliche Tees anbieten, kleine Leckereien oder Kleidung für die Yogapraxis. Die letzten drei Tage sind immer einer speziellen Form des Yoga gewidmet, die vor allem an körperliche Grenzen führt. Ich hatte vier Stunden extrem anspruchsvolle und anstrengende Yogapraxis hinter mir und nun hatte ich eine einzelne einfache Orange in der Hand. Diese Erfahrung sollte für mich und mein ausgeprägtes Interesse an Sinneserfahrungen wohl im wahrsten Sinne des Wortes ein Leckerbissen werden, zumindest war das meine Fantasie.

Endlich kam die Anleitung für die Übung. Einer der Übungsleiter stand vorne auf der Bühne und sprach in schwer verständlichem Englisch ins Mikrofon. Simultan wurde übersetzt. Die Übersetzer waren im ganzen Zelt verteilt und die verschiedensten Sprachen ertönten gleichzeitig. Die Bruchteile der Anleitung, die ich auf direktem Wege erhaschen konnte, handelten davon, dass gleich alle zusammen die Orange essen dürfen. Wunderbar, meine Fantasie sollte Wirklichkeit werden. Eine köstliche Orange nach all der Anstrengung.

Doch dann kam das Kleingedruckte. Die Ansage wurde wiederholt und ich verstand den Rest. Eine Stunde. One hour. Jeder sollte sich für das Essen dieser Orange eine geschlagene Stunde Zeit nehmen. Meine Vorfreude löste sich in Luft auf und ich sackte innerlich zusammen, ein Großteil der Anwesenden sackte innerlich zusammen.

So wie ich mich gerade fühlte, hätte ich diese saftige Frucht in zwei Minuten verschlungen, bei der Affenhitze vielleicht sogar in einer. Der Klang eines überdimensionalen Gongs eröffnete jede der Übungen. Gerade wurde er von einem anderen Übungsleiter geschlagen. Ab jetzt 60 Minuten. Zuerst war ich entspannt mit der Aufgabe. Ich betrachtete die Orange von allen Seiten, als würde ich das erste Mal in meinem Leben eine sehen. Die Farbe der Frucht, die kleinen Dellen der Schale und was man noch so alles erkennen kann, wenn man ohne Ende Zeit hat. Dann der Geruch. Das ganze Zelt war mittlerweile von Orangenduft erfüllt. Die anfängliche Entspannung wich einem Wechselbad der Gefühle. Wie schnell man doch ungeduldig werden kann. Dann wieder Freude ob der sinnlichen Erfahrung. Abgelöst vom Ärger über diese völlig sinnlose Aufgabe. Warum in aller Welt sollte ich mir für das Essen einer banalen Orange so viel Zeit nehmen? Doch der Moment nach etwa 20-minütigem Schälen, Innehalten, emotionalen Auf und Ab, Beschnuppern und Betrachten, das erste Stück in den Mund zu nehmen, war eine Geschmacksexplosion. So hatte ich eine Orange noch nie in meinem Leben geschmeckt. Jetzt kennst du die Übung. Gleich schlägt der Gong. Du hast 60 Minuten Zeit. Enjoy!

EXTENDED HEART

Der Tastsinn, eine unserer fünf Sinneswahrnehmungen. Meiner Meinung nach ist dieser Draht zu unserer Umwelt der am meisten vernachlässigte und am wenigsten beachtete unserer Sinne. Unser Tastsinn verschwindet häufig hinter all den banalen Tätigkeiten: Einkaufstüten tragen, die Wohnungstür aufsperren, uns beiläufig die Jacke ausziehen. Wir benutzen unsere Hände meist als reines Werkzeug, ein Akt unbewusster Alltäglichkeit, so normal, wie er nur sein kann. Als Säuglinge ist unser Tastsinn noch eine unmittelbare Kontaktaufnahme mit der Welt. Wir be-greifen die Welt im wahrsten Sinne des Wortes.

Die warme Haut unserer Mutter, den struppigen Bart unseres Vaters, die bunten baumelnden Dinge über unserer Wiege, für die wir noch keine Worte haben. Doch wir können alles anfassen. Können mit unseren Händen die Welt erkunden.

Als mir als erwachsene Frau das erste Mal wieder bewusst wurde, welch große Dimension mein Tastsinn in sich birgt, wie viel reicher die Erfahrung meiner Umgebung durch diesen Sinn werden kann, hatte ich ein nächstes Tool in meinen Händen – meine Hände selbst.

Ich nenne dieses Tool mein „extended heart“, denn ich empfinde den Tastsinn wie eine Verlängerung meines Herzens. Als meine Kinder noch Säuglinge waren, sich ihre winzigen, zarten Fingerchen um einen meiner Finger schlossen, war das ein Kontakt der Liebe, die wir über unseren Körperkontakt austauschten. Eine direkte Verbindung von Herz und Hand. Bei Kindern lässt sich diese Verbindung meist noch am unmittelbarsten beobachten. Wenn sie ihre Arme nach geliebten Menschen ausstrecken, kann diesen förmlich das Herz entgegenfliegen. Unsere Sprache ist in ihren Beschreibungen immer wieder sehr aufschlussreich, wenn wir beispielsweise davon reden, uns aneinander heranzutasten, oder wir halten metaphorisch behutsam das Herz unseres geliebten Partners in den Händen. Wir berühren einander und gehen Hand in Hand. Warum diesem Sinn nicht ein wenig mehr Aufmerksamkeit schenken?

Wie fühlt es sich an, die Dinge zu berühren, die dir am Herzen liegen? Wie fühlt es sich an, mit ganz alltäglichen Dingen im Kontakt zu sein, die Einkaufstüte zu fühlen, statt gedanklich schon zur nächsten Erledigung zu eilen? Am Ufer eines Sees die Fingerspitzen ins Wasser einzutauchen? Schnee ohne Handschuhe zu begreifen? Oder auch mit Händen und Füßen bewusst den Sand am herrlichen Strand zu durchwühlen? Beim Kraulen von Hund und Katze deine Liebe durch deine Finger fließen zu lassen? Die Kuh auf der Weide, in der Nähe von meinem Zuhause, streckt mir mittlerweile regelmäßig ihre Schnauze entgegen. Ich glaube, sie liebt meine Hände. Alles, was dir in die Finger kommt, gibt dir die Möglichkeit, die Welt noch tiefer zu begreifen. Eine Kontaktaufnahme mit möglichen Nebenwirkungen, sie könnte dein Herz berühren. Enjoy!

SCHNUPPER DICH DURCH

Mein älterer Sohn hat Biologie studiert. Er ist in allen Fächern richtig gut, aber für Bio schlägt sein Herz. Bio, das Fach meiner kolossalen Lernverweigerung. Du erinnerst dich?

„Bestgekleidet“ hatte ich als Teenager meine Prüfung in den Sand gesetzt. Nun war mein Sohn dabei, seine Bachelorarbeit in dieser Naturwissenschaft zu machen. Er hatte sich für eine Thematik entschieden, die sehr praxisorientiert war. Es ging darum, wie sich die Natur Gelände zurückerobert, das vorher von Menschen genutzt wurde. Dafür verbrachte er Wochen in einem ehemaligen Steinbruch.

Ich hatte ihn schon ein paar Mal auf Exkursionen durch unsere heimischen Wälder begleitet und besuchte ihn auch dort einmal. Es war karges Gelände, und er erklärte mir die überschaubare Anzahl an Pionierpflanzen, die sich das Gebiet Stück für Stück erschlossen. Sie bildeten sozusagen die Vorhut. Ich konnte an diesem Tag seinem Wissen über Pflanzen lauschen und erfahren, wie er für seine Arbeit vorgeht. Die vorherigen gemeinsamen Ausflüge hatten einen viel ausgeprägteren sinnlichen Aspekt gehabt. Denn mein Sohn schnupperte sich durch. Er roch an Pilzen, Moosen, Gräsern, Wurzeln. Eine wahrhaftige Spürnase. Der Geruch verriet ihm beispielsweise, ob ein Pilz faul oder frisch war, also nach alten Socken oder nach frischer Erde roch. Mit Begeisterung tat ich es ihm gleich und wir schnupperten uns gemeinsam durch den Wald. Nebenbei erklärte er mir die Pflanzen, erzählte mir von den Tieren des Waldes.

Das war Bio-Unterricht, wie ich ihn mir auch als Legas-Teenie gewünscht hätte. Mit allen Sinnen die englischen Flure und Wälder zu durchstreifen und dabei den Unterrichtsstoff zu lernen. Immer der Nase nach. Mein Walkman wäre zu Hause geblieben. Madonna hätte warten können.

Es gibt so viel zu riechen. Viele Menschen verbinden Gerüche auch ganz direkt mit emotionalen Erinnerungen. Unsere Nase ist ohne Umwege mit dem Emotionszentrum in unserem Gehirn verknüpft. Das zeigt die besondere evolutionäre Bedeutung des Riechens oder besser Erschnüffelns auf. Alle anderen Sinneswahrnehmungen werden in unserem Gehirn vorverarbeitet. So, genug Biologieunterricht.

Für mich war es normal, mich am Duft von Schnittblumen, Parfum oder Wein zu betören, den kultivierten Gerüchen. Ohne meinen Sohn wäre ich nicht auf die Idee gekommen, meiner Nase noch viel mehr Spielraum anzubieten und an einem kleinen Stück Moos im Wald zu schnuppern, an der Rinde von Bäumen, an frischen und faulen Pilzen.

Neandertaler hatten scheinbar einen schlechteren Geruchssinn als wir Homo sapiens. Unser Riecher soll uns einen Überlebensvorteil verschafft haben. Na, das ist doch was. Enjoy!

EINMAL IM JAHR

Der Dalai Lama sagt: Begib dich einmal im Jahr an einen Ort, an dem du noch nie gewesen bist. Ein wirklich schönes Tool. Durch meinen Beruf genieße ich immer wieder mal die außergewöhnliche Möglichkeit, weit entfernte Länder zu besuchen. Ein Geschenk des Schauspielerdaseins, für das ich sehr dankbar bin. 2008 durfte ich beispielsweise „Kreuzfahrt ins Glück“ drehen. Das ganze Team war auf den Bermudas in einem Hotel untergebracht.

Ich war in einer Hauptrolle, doch werden bei diesem Format so viele Geschichten parallel erzählt, dass ich trotzdem nicht so viele Drehtage hatte. Meine freien Tage konnte ich nutzen, um mit Kolleg:innen, die ebenfalls gerade frei hatten, zum Strand zu gehen. Eine überaus privilegierte Arbeitssituation. Allerdings war Sonnenbaden keine Option für uns. Kennst du den Begriff Anschlussfehler? Du schaust einen Film und als Requisit steht eine Flasche auf dem Tisch im Bild. In der nächsten Einstellung ist sie plötzlich verschwunden. Als Zuschauer bist du irritiert. Wo ist die Flasche hingekommen? Das ist ein Anschlussfehler. Wenn ich zu Drehbeginn käseweiß im Bild erscheine und in der nächsten Szene krebsrot, weil zwischen dem Dreh des ersten und des zweiten Bildes zwei Wochen lagen, in denen ich mich in der Sonne rekelte, dann ist das ein eklatanter Anschlussfehler. Leider werde ich tatsächlich eher krebsrot und nicht schokoladenbraun, dank meiner in diesem Fall verfluchten englischen Gene.

Also, Sun Blocker ohne Ende und Schatten, Schatten, Schatten. Der Strand war natürlich trotzdem ein Traum in paradiesischem Weiß, der in türkisblaues Wasser überging. Dazu der schnuckelige englische Style, den ich so liebe. Die Bermudas sind ja ein britisches Überseegebiet.

Mit einer dicken Schicht Sonnencreme auf der Haut war uns zumindest das Meer nicht verwehrt. Das herrlich warme Wasser der Bermudas. Doch auch dieses privilegierte Vergnügen wurde uns genommen. Es waren Quallen gesichtet worden. Unangenehme, schlecht sichtbare Zeitgenossen mit brennenden Tentakeln, die feuerrote Striemen auf der Haut hinterlassen.

Warnungen werden an solchen Traumstränden schnell in den Wind geschlagen. Wir sind trotzdem ins Wasser, bis es einen Kollegen am Bein erwischt hat. Hässliche und höllisch schmerzende Tentakelabdrücke, die sich über seinen Oberschenkel zogen. Male, die durch keine Schminke der Welt hätten kaschiert werden können. Hätte es einen von uns Schauspielern im Gesicht erwischt, das wäre ein nicht korrigierbarer Anschlussfehler gewesen. Das Resultat war ein rigoroses, selbst auferlegtes Badeverbot.

Die Bermudas blieben trotzdem ein Traumort, den ich noch nie zuvor gesehen hatte. Doch um den Rat des Dalai Lama zu befolgen, muss es ohnehin keine Fernreise sein. Ein Freund aus Bayern hat sich vor Jahren mit dem Rucksack von seiner Haustür aus auf den Weg gemacht. Er lebte in der Nähe des Starnberger Sees und ist den König Ludwig Wanderweg gegangen, der von dort aus bis zum Schloss Neuschwanstein führt. Seinem Bericht zufolge hat er seine Heimat ganz neu erlebt, ist an Orte gekommen, an denen er noch nie zuvor gewesen war. Nur ein paar Tage zu Fuß von seinem Zuhause entfernt. So einfach kann das sein.

Du hast ein Fahrrad im Keller? Warum nicht mal für drei Tage mit Übernachtung losradeln? Oder mit der S-Bahn raus aus der Stadt, an eine Endstation, die du noch nicht kennst? Enjoy!

BÜHNE IST ÜBERALL

Ich liebe Historienfilme, nicht nur weil ich mich seit der Schule für Geschichte interessiere, sondern weil es mich auch fasziniert, wie Menschen früher gelebt haben. Auf meiner Liste der Rollen, die ich gerne spielen würde, steht deshalb ganz oben eine Kostümrolle. Sie könnte in der Antike oder im Mittelalter angesiedelt sein, aber als historisch lässt sich natürlich auch schon das letzte Jahrhundert bezeichnen. In „Schuld war nur der Bossa Nova" habe ich damit schon Bekanntschaft gemacht. Die Liebesgeschichte spielte in den 1960ern und ich übernahm die entzückende Rolle einer blutjungen Friseurin. Wenn es nach meinen Wünschen ginge, wäre mir eine Rolle im 18. oder 19. Jahrhundert am liebsten. Die Kostüme sind das eine, das Kind in mir würde Purzelbäume schlagen. Ja, tatsächlich, es gibt nicht nur das Kind im Manne ...

Aber noch viel mehr bin ich neugierig auf ein komplett anderes Frauenbild, das geprägt ist von der damaligen Stellung der Frau in der Gesellschaft. Daran hängt auch ein Selbstbild, das man sich aus heutiger Sicht kaum mehr vorstellen kann. In dem Historienfilm „The Favourite" zaubert Rachel Weiß in der Rolle der Countess of Marlborough eine durchtriebene Intrigantin am englischen Königshof Anfang des 18. Jahrhunderts auf die Kinoleinwand. Sie spielt diese rebellische Figur mit herausragendem Selbstbewusstsein, verwoben mit ziemlich hässlichen Charakterseiten und einem fetten Ego, aber ohne dass es wirklich unangenehm ist. Der Film hat mich wirklich inspiriert und ausgesprochen amüsiert.

Das Schöne ist, du musst keine Schauspielerin oder kein Schauspieler sein, um zu spielen. Das Leben selbst bietet ständig so viele Gelegenheiten, dich auf die eine oder andere Weise zu geben und zu zeigen. Letztlich ist es eine Sache der Neugier und des Wagemuts. Hast du nicht schon immer mal Lust gehabt, in eine etwas andere Rolle zu schlüpfen, einer versteckten Seite in dir die Bühne des Lebens zu überlassen? Für mich sind viele Filmfiguren immer wieder inspirierend, die ihre Komfortzonen verlassen. Carey Mulligan als Maud Watts in „Suffragette" beispielsweise oder Emile Hirsch als Christopher McCandless in „Into the Wild". Ich habe auch große Freude an Schauspieler:innen, die sich ganz uneitel und pur zeigen wie Kate Winslet in „Der Gott des Gemetzels" oder Viggo Mortensen in „Green Book". Wer inspiriert dich? In welche Rolle würdest du gerne schlüpfen?

Es können schon Kleinigkeiten sein, die eine große Wirkung haben. Neulich erst sah ich eine Frau, etwa Mitte 70, mit wunderschönem weißem Haar. Als sie sich zur Seite drehte, fiel mein Blick auf drei Strähnen, die in krassem Rot eingefärbt waren. Ich konnte nicht anders und musste sie direkt darauf ansprechen. Die Dame berichtete mir, dass sie sich selbst als zu alt, langweilig und zurückhaltend empfindet. Die Strähnen waren für sie Ausdruck von Mut, von etwas mehr Feuer und Wildheit in ihrem Leben. Ihr ganz eigenes Wagnis, ihre Komfortzone zu verlassen und etwas Neues auszuprobieren.

Aber vielleicht möchtest du auch etwas mehr auf den Putz hauen, dich mal etwas laut und draufgängerisch geben oder, ganz im Gegenteil, mit aristokratischer Eleganz agieren, wenn du abends ausgehst? Als Lederjackentyp irgendwo hereinplatzen, den Sex-Appeal einer Femme fatale versprühen oder die raue Männlichkeit eines Wikingerkönigs? Wenn du an anderen Menschen etwas faszinierend findest: Warum nicht selbst solche Schuhe tragen? Warum nicht einen knallroten Lippenstift? Oder für den Mann mal Glatze mit Bart? Wie heißt es so schön – das Leben ist zu kurz für schlechten Wein. Das Leben ist auch zu kurz für die immer gleichen Erfahrungen. Es liegt in deiner Hand, neue zu machen, vielleicht indem du wagst, dich anders zu kleiden oder dich anders zu geben.

In der Comedyserie „Krista" spielte ich 2003 die Lotte, eine exaltiert-hysterische Persönlichkeit. Ich musste nur eins tun: mich beim Reden die ganze Zeit nahezu überschlagen. Eine hervorragende Gelegenheit, meiner schlummernden Rampensau mal so richtig freien Lauf zu lassen. Ich kannte diese Seite aus meiner Kindheit, doch sie war etwas zu weit in den Hintergrund gerutscht. Seit diesem Dreh bekommt meine Rampensau auch privat häufiger den Platz, der ihr gebührt, und sie bereichert mein Leben mit einer wilden und lebendigen Energie.

Und nun, Bühne frei für dich. Enjoy!

SWEAT

Mein Lebensgefährte fragte mich eines Morgens: „Möchtest du an einer Schwitzhütte teilnehmen?“ Von Schwitzhütten hatte ich lange nichts mehr gehört. Weit zurückliegende Erinnerungen tauchten auf.

Ich war 23 Jahre alt, die Zeit nach Esalen, die Zeit der deutschen Kartoffelgruppe.

Sporadisch war ich im Kontakt mit dem Gärtner, der sich in Esalen um den Gemüseanbau gekümmert hatte. Er war sozusagen mein „Boss“ gewesen, hatte mir gezeigt, wie ich den Salat am besten ernten konnte. Er war Deutscher wie ich und ebenfalls aus dem wunderbaren Kalifornien zurückgekehrt. Er hatte ein ganzes Jahr dort verbracht und lebte nun wieder in einer Lebensgemeinschaft in der Lüneburger Heide. Kurz nach unser beider Rückkehr rief er mich an und lud mich zu einer Schwitzhütte ein.

Ich hatte keine Ahnung, was das sein sollte und was mich erwarten würde. Er hatte von den vier Elementen gesprochen, von einem jahrhundertealten Ritual der indigenen Kultur aus Nordamerika. Ich konnte mir trotzdem nichts darunter vorstellen, doch es hörte sich interessant an, ein bisschen nach Esalen-Style.

Eine Woche später stand ich an einem großen Lagerfeuer. Im Feuer wurden an die 30 handballgroße Steine erhitzt. Es hieß, die Steine wären bald so weit. Ein paar Meter vom Feuer entfernt stand ein igluartiges Gebilde, welches aus zusammengebundenen Weidenruten gebaut war. Die Ruten waren nicht mehr zu sehen, denn das Gebilde war mit mehreren Lagen an Decken abgedeckt worden. Für mich war alles ein wenig befremdlich, vor allem das rituelle „heilige" Getue. Ich blickte aus der typischen Perspektive eines Zaungastes auf das Geschehen, eines Zaungastes, dem jetzt auch noch Tabak in die Hände gestreut wurde. Tabak ist heilig, hieß es, gut, um zu beten.

Ach so – also ein lautes oder leises Gebet mit dem Tabak ins Feuer geben. Im So-tun-als-ob war ich gut, und natürlich wählte ich die leise Variante.

Die Steine sind so weit. Jetzt hieß es ausziehen. In die Sweat, wie viele die Schwitzhütte nannten, ging man wie in die Sauna nackt hinein, maximal mit einem dünnen Tuch umhüllt. Es war dunkel. Man saß im Schwitzhütteniglu im Kreis um eine Kuhle in der Mitte und es rückten immer mehr Leute nach, es wurde zusehends enger. Hatte ich schon erwähnt, dass ich auch mal Platzangst bekommen kann? Für mich sah die Sweat klein aus, zumal für die Gruppe von 20 Menschen, die wir waren. Als ich mich auf meinem Platz niederließ, saßen wir schon relativ dicht aneinander, aber ein paar standen immer noch draußen. Da hatte ich mich ja auf ein tolles Ritual eingelassen. An den weiteren Ablauf kann ich mich kaum mehr erinnern, nur dass in mir langsam die Angst aufstieg.

Der erste Schwung Steine lag nun in unserer Mitte in der Kuhle. Rotglühend und eine enorme Hitze abstrahlend. Ein Helfer, der sogenannte Feuermann, hatte sie mit einer Steingabel aus dem Feuer gefischt und sie durch den kleinen Eingang zu uns hineingereicht. Sobald dieser Vorgang abgeschlossen war, wurde auch der Eingang mit einer Schicht aus mehreren Decken verhüllt. Jetzt war es stockdunkel. Nur in unserer Mitte ein rötlich schimmernder Haufen heißer

Steine. In mir stieg Panik auf. Eine Enge wie diese hatte ich in meinem ganzen Leben noch nicht erlebt.

Mein „Boss“, der Gärtner, hatte am Feuer noch kurz erwähnt, dass man jederzeit die Decken hinter sich heben darf, um die Hütte zu verlassen, wenn es einem zu viel werden sollte. Ich war schneller wieder draußen, als ich reingekommen war. Die Decken flogen hinter mir in die Höhe und ich floh in die Freiheit. Luft, ich brauchte Luft. Und jetzt diese Frage, 25 Jahre nach meiner ersten und einzigen Schwitzhüttenerfahrung.

Na gut, dachte ich mir. Warum nicht. Mein Partner war mittlerweile im Schuppen verschwunden. Er holte einen alten verbeulten Metalleimer, eine dazugehörige Kelle, stapelweise Decken, Räucherwerk und Tabak und lud alles gut gelaunt wie immer auf seinen damaligen Pritschenlaster. Los ging es. Gemeinsam fuhren wir durch die bayrische Voralpenlandschaft. Es war herrlich, die Luft frisch, das Wetter einladend, die Alpen waren klar und deutlich zu sehen. Mein Lebensgefährte kannte sich gut aus mit Feuer, Wasser, Luft und Erde. Als ich jetzt wieder an einem Lagerfeuer stand, in dessen Hitze Steine zum Glühen gebracht wurden, fühlte sich alles viel naturverbundener an. Ich spürte die sanfte Luft um mich wehen, hörte die zarten Weiden im Hintergrund rauschen, sah die wilden Flammen des Feuers und schaute voller Vorfreude auf den Eimer, der mit klarem, frischem Wasser gefüllt war und uns zum Schwitzen bringen sollte. Denn die heißen Steine werden mit Wasser übergossen. So weit war ich beim ersten Mal gar nicht mehr gekommen. In der Sweat ließ ich mich auf der nackten Erde nieder. Ein herrliches Gefühl. Ich genoss den kühlen Boden, der mir Stabilität gab. Diesmal blieb die Panik aus. Die Steine wurden zu heißen, funkelnden Juwelen, die uns mit ihrer Hitze beschenkten. Noch nie in meinem Leben hatte ich so viel geschwitzt. Wir sangen wunderschöne Lieder, die uns die Hitze erleichterten. Es war eine intensive, unmittelbare Erfahrung mit den vier Elementen.

Jetzt verstand ich. Ich saß auf der Erde, war dankbar für die Luft, das Feuer prasselte, das Wasser ließ uns schwitzen und schenkte uns nach der Schwitzhütte die verdiente Abkühlung. Danke, liebe Erde! Wie ist es für dich, die frische Luft tief in dich einzuatmen? Im kühlen See deine Bahnen zu schwimmen? Ab und zu ein kleines Lagerfeuer zu machen oder einfach mal barfuß auf Mutter Erde zu gehen? Enjoy!

FIFTEEN MINUTES A DAY

Airport Frankfurt, ich sitze an einem der unzähligen Terminals und warte auf den Check-in. Um mich herum der ganz normale Alltag – Anzeigetafeln, Durchsagen, Handys, unterschiedliche Sprachen, Zeitungen, Tablets, Laptops, Musik mit und ohne Kopfhörer, Zeitschriften, Werbeplakate, LED-Werbetafeln, Broschüren, Bücher, Flatscreens mit flimmernden Bildern. Ich mittendrin im chaotischen Wirrwarr der Informationsflut und selbst mit meinem Handy beschäftigt: SMS, Internet, aktuelle Nachrichten, Artikel, Berichte, Instagram, Fotos, Sprachnachrichten, Mails, Telefonieren, Wichtiges und Belangloses ... Stopp!

Wann werde ich mir bewusst, was ich gerade tue? Ehrlich gesagt nicht immer, doch ich versuche, mich darin zu üben, ein wahrlich großes Übungsfeld. Die digitale Welt, die alltägliche Informations- und Bilderflut, vielleicht wäre es auch angemessen, von einem Tsunami zu sprechen, umgibt uns 24/7 und viele gehen darin häufig völlig verloren. Auch ich kann ein Liedchen davon singen. Noch eben eine Nachricht auf WhatsApp verschicken, ist ja wichtig, noch ein Post auf Instagram, ist ja auch kreativ, die interessanten News meiner Freunde, dieses Video – must see ...

Was ist für mich eigentlich die angemessene Dosis? Kennst du diese kleinen Messinstrumente, die radioaktive Strahlung messen, um zu sehen, wann du einen belasteten Bereich wieder verlassen musst? Vielleicht wäre ein Digital-Dosimeter eine praktische Sache, eingearbeitet in den smarten Pullover. Wenn die Informationsmenge eine kritische Dosis überschreitet, beginnt ein Ärmel rot zu schimmern. Das würde meinem kreativen Geist gefallen. Leider ist dieser Pulli noch nicht auf dem Markt, deshalb habe ich auf mein Bewusstsein zurückgegriffen. Dieses hatte allmählich begonnen, rötlich aufzuleuchten, und mir signalisiert, dass die Dosis an medialer Beschäftigung über dem Grenzwert liegt.

Meine Signallampe war mein Zustand nach zu viel Information: Ich hatte schlechte Laune, fühlte mich abgestumpft, war gedanklich gelangweilt, müde und reizbar. Ich fing an zu experimentieren, der öffentliche Raum war dafür die größte Herausforderung. Ich ging sofort in die Vollen. Oft genug wartete ich auf einen Zug oder ein Flugzeug oder saß stundenlang in einem dieser Transportmittel. Ich muss viel reisen für meine Arbeit. Der erste und bei Weitem einfachste Schritt war, mir bewusst zu werden, dass ich gerade im digitalen Universum verloren gegangen war – „lost in space“ sozusagen.

Ein Zwischenschritt auf dem Weg zum nächsten war, mir klar zu werden, wo ich mich gerade befinde, welche Menschen gerade in meiner Nähe sind, was diese eigentlich so treiben. Dann kam der zweite Schritt: mein Handy in meine hübsche Handtasche gleiten lassen. Dann ganz sutsche durchatmen und mich der fröhlichen Gelassenheit des gegenwärtigen Moments hingeben. Schön war es gewesen. Denn jetzt kam der finale und schwerste Schritt, das Handy nicht wieder aus der Tasche holen. War da nicht eben eine wichtige Nachricht eingegangen? Wenn ich jetzt etwas Wichtiges verpasse!

Ganz ehrlich, diesem Impuls nicht zu folgen war oft richtig hart, ich musste mich förmlich zwingen. Die Versuchung, eine „kleine“ Ausnahme zu machen, war riesig. Zur Fahrkartenkontrolle nahm ich es wieder aus der Tasche. Eine super Gelegenheit, nur mal kurz checken, ob die Nachricht von vorhin nicht doch wichtig war. Nein! Ich hatte es mir selbst versprochen. Zurück in die Tasche mit dem Teufelsding.

Mein älterer Sohn ist mir ein gutes Beispiel, regelmäßig legt er handyfreie Zeiten ein. Er schickt lediglich eine kurze Nachricht an seine wichtigsten Menschen: „Bin die nächsten zwei Wochen nur via Mail erreichbar“ und schon ist er offline. Eigentlich paradox, denn auf eine andere Art geht er online, nämlich mit der realen Welt, die ihn umgibt. So weit wie er bin ich noch nicht gekommen. Ein oder zwei Wochen komplette Abstinenz. Diese Erfahrung wartet noch auf mich.

In diesem Kapitel soll es auch nicht darum gehen. Die angemessene Dosis, darum dreht es sich gerade. Ich persönlich fühle mich zunehmend überfordert in unserer schnelllebigen digitalen Welt. Gleichzeitig möchte ich meinen Kopf nicht in den Sand stecken, keine Information ist keine Alternative für mich. Ich möchte mich von der Welt nicht abwenden, doch zu viel Hinschauen lässt entweder meine Gefühle abflachen oder im gegenteiligen, unangenehmsten Fall hinterlässt es Stimmungsschwankungen – ein Spagat. Die beste Lösung, die ich bisher für mich gefunden habe, sind „fifteen minutes a day". Ich picke mir ganz gezielt ein oder zwei Nachrichten heraus und investiere fünfzehn Minuten dafür. Danach lege ich mein Handy zur Seite. Praktiziere ich das täglich? Nein. Aber immer öfter. Schritt eins, der rote Ärmel taucht regelmäßiger in meinem Bewusstsein auf. Ich bekomme öfter mit, dass ich über dem Limit bin. Am Tag drauf sind dann fifteen minutes angesagt. Die Möglichkeit, mich wieder dem lebendigen Leben um mich herum zu widmen. Kam da nicht gerade eine Nachricht rein? Enjoy!

GEHT AUCH OHNE

Wie heißt es so schön, weniger ist mehr. Je mehr von irgendetwas, desto stressiger kann das Leben werden, denn du hast mehr an der Backe. Mehr Besitz, mehr Kilos, mehr Zeit vor der Glotze, mehr, mehr, mehr. Mein „Mehr" waren Klamotten. Irgendwann habe ich angefangen, mir das oben genannte Sprichwort zu Herzen zu nehmen und mich im Verzicht zu üben. Seitdem begleiten mich Lebensphasen im Fastenmodus, es war und ist eine gute Übung, bewusster mit meinem Konsumverhalten umzugehen.

Verzicht zu üben fand ich definitiv nicht einfach. Die Versuchung war so groß. Viele lange Wochen und Monate verbringe ich jedes Jahr in fremden Städten. Wiesbaden kenne ich durch meine Rolle beim „Staatsanwalt" wie meine Westentasche. Während der Drehzeiten gibt es auch freie Tage oder ich arbeite mal nur einen halben Tag.

Das Hotelzimmer ist in Ordnung, das angemietete Apartment ganz schön, aber es ist eben nicht mein Zuhause. Also, was tun, wenn ich zu faul war zum Meditieren, zum Joggen oder um in die Yogastunde zu gehen? Was tun, wenn mir ein wenig die Decke auf den Kopf fiel? Shoppen war dann das Erste, was mir automatisch in den Sinn kam, mein „Mehr". Shoppen war mein Allheilmittel, mein Kompensationsverhalten, um Einsamkeitsgefühle, Unzufriedenheit und Traurigkeit zu verdrängen. Lange Zeit ein unbewusstes Verhalten, das ich nie hinterfragte. Wie selbstverständlich bin ich auf Tour gegangen, eine kleine Handtasche über die Schulter geworfen, einen kleinen zusammenfaltbaren Einkaufstoffbeutel ins Täschchen gestopft – man weiß ja nie. Wenn schon keine Familie auf mich wartet, dann wenigstens ein neues Oberteil. Meist kam ich mit ein paar Tüten mehr zurück, ein Oberteil war doch nicht genug gewesen. Fette Beute, der Inhalt schön anzusehen, doch die vier Wände im Zimmer waren weiterhin zu eng, die Decke nach wie vor zu niedrig. Mein Belohnungszentrum hatte nur einen kurzen Kick erhalten, der nicht nachhaltig befriedigend war. On top war der Einkaufsbummel für mich stressig und hat mein sensitives Wesen noch mehr außer Balance gebracht. Ich hätte nachhaltige emotionale Nahrung gebraucht, meine Familie, meine lieben Freunde.

Also gut, Fasten, keine Kompensationsklamotten mehr, keine leeren Kalorien. Ich fing mit einem Monat an. Nur noch lebenswichtige Dinge einkaufen. Zudem übte ich mich darin, alles wirklich aufzubrauchen, beispielsweise die Zahnpasta bis zum Letzten auszuquetschen. Ich habe die Tube sogar aufgeschnitten, um auch noch den letzten Rest Minzgeschmack zu schürfen. Ich wollte konsequent sein. Ausprobieren, was geht.

Der Start war einfach, fast mit einem anfänglichen Hochgefühl verbunden, doch dann kam das Fastental: Das Weniger wollte wieder mehr werden. Mit unangenehmer Aufdringlichkeit schürte das gewohnte Verlangen Unruhe in mir. Doch die Shoppingmeile war keine Option, das hatte ich mir selbst fest versprochen.

Was dann? Yoga und Sport statt shoppen? Genau das wollte ich nicht. Ich wollte mich vor allem mit mir auseinandersetzen, mit den Gefühlen, die ich sonst wegkompensierte. Ausatmen, sitzen, die niedrige Decke spüren, warten, Einsamkeit fühlen. Einfach war es nicht, doch mit der Zeit hat sich mein innerer Zustand verwandelt. Ich erlebte, wie meine unangenehmen Gefühle begannen, sich durch meine gezielte Zuwendung aufzulösen.

Manche schneller, als ich dachte. Heute nenne ich diese Zeiten meine Fühlzeiten, sie sind mir ein wichtiger und wertvoller Bestandteil meines Lebens geworden. Mit jeder weiteren Konsumfastenphase, die ich Stück für Stück ausdehnte, sind sie das „Mehr" geworden, die Fühlzeiten wurden ein selbstverständlicher Teil meines Alltags. Bis ich mich plötzlich dabei ertappte, gerne in meinem Zimmer zu sitzen, einfach nur ich, in Stille, vielleicht einen köstlichen englischen Tee dazu. Wie groß der Raum geworden war und die Decke war auch viel höher. Weniger war mehr und vor allem sehr, sehr sutsche! Weniger Handy, weniger Zucker, weniger Klamotten, weniger Zeit auf dem Sofa. Enjoy!

NAGELBRETT

Der Heilungsansatz eines Nagelbretts ist uralt. Viele kennen diese berühmten Bilder indischer Sadhus, der „heiligen Männer", die auf selbst zusammengezimmerten Brettern voller Nägel liegen. Sie „chillen" der Länge nach auf dem Bauch oder Rücken, unter ihnen Hunderte von Nägeln, wahrscheinlich eher rostige und nicht die guten aus Edelstahl. Manche stehen auf den Nägeln in schwierig nachzuvollziehenden Yogahaltungen, dabei einen fetten Joint zwischen den kaum noch vorhandenen Zähnen. Haschisch ist den Sadhus ein heiliges Kraut, und der Konsum ist ihnen in Indien erlaubt. Aber der Rausch hat ihnen sicher nicht ermöglicht, auf dem Nagelbrett auch noch zu schlafen. Da gehört schon mehr dazu.

Doch warum ist überhaupt jemand auf die Idee gekommen, Nägel in Bretter zu schlagen? War es die banale Lust an einer extremen Erfahrung? Oder steckte da mehr dahinter?

Vielleicht, um sich besser kennenzulernen, seine Gewohnheiten zu hinterfragen oder gar zu durchbrechen? Vielleicht, um sich selbst herauszufordern, um einen starken Willen zu entwickeln? Könnte auch ich mir diese alte Praxis zunutze machen? Vielleicht, um meinem Körper und meinem Geist Gelassenheit zu schenken? Oder um damit meine Konzentration zu schärfen, Ängste zu lösen und Stress zu reduzieren, meine Muskeln zu entspannen? Vielleicht auch, um mein ab und zu noch aufflammendes Lampenfieber in den Griff zu bekommen?

Wenn du jetzt denkst, ich hätte ebenfalls halbverrostete Nägel in Bretter geschlagen, liegst du daneben. Aber tatsächlich habe ich mir vor nicht allzu langer Zeit eine moderne Version des alten Prinzips angeschafft: eine sogenannte Akupressurmatte. Sie besteht aus einer Schaumstoffmatte mit Baumwollbezug, auf welchem sich 230 kreisrunde Plastikplättchen von circa zwei Zentimetern Durchmesser befinden. Jedes Plättchen ist mit 27 Kunststoffspitzen ausgestattet, das sind insgesamt über 6000. Und ja, da kannst du dich drauflegen. Die ersten Male fühlt es sich an, als wäre das nicht aushaltbar. „Wer war so verrückt, sich so eine Foltermatte auszudenken?", denkst du dir dann. Aber es ist möglich, sich daran zu gewöhnen. Der Anfangsschmerz weicht überraschenderweise zunehmender Entspannung. Ich persönlich bin jedes Mal stolz, wenn ich meine 20 Minuten „geschafft" habe und mich entspannter und gelassener fühle. Die Matte ist wahrhaftig eine „Spitzen-Sache". Ein wahres Juwel unter meinen Tools. Vielleicht bist du jetzt auch angespitzt und verspürst die Lust, unter die Fakire zu gehen? Enjoy!

DIE EISKÖNIGIN

Alle meine Tools sind als spielerische Einladung zu verstehen, im besten Falle inspirieren oder amüsieren sie dich. Vielleicht wird das ein oder andere Tool zu einer Bereicherung für dein Leben. Dieses Tool versehe ich mit einem Sicherheitshinweis, denn es wird um eine Erfahrung gehen, die körperlich extrem ist. Eiskönigin oder Eiskönig wirst du nur, wenn du gut auf dich achtest und behutsam vorgehst. Es geht, wie der Titel schon erahnen lässt, um das immer populärer werdende Eisbaden. Untrainiert kann das für Leib und Leben drastische Folgen haben, bis hin zum Herzinfarkt. Also lieber abwarten und Tee trinken, als zu schnell ins kalte Wasser springen.

Auf dem Gebiet des Eisbadens gibt es einen sensationellen Experten: „The Iceman" Wim Hof. Er ist ein niederländischer Extremsportler und hält verschiedene Weltrekorde, die alle mit Kälte zusammenhängen, unter anderem für den längsten Aufenthalt im Eiswasser. 1 Stunde, 52 Minuten und 42 Sekunden bis zum Hals im Eiswürfelbad sitzend. Er hat über die Jahrzehnte die Fähigkeit entwickelt, auch unter extremer Kälteeinwirkung seine Körpertemperatur zu regulieren. Seine Wim-Hof-Methode besteht aus drei Säulen.

Breathing, Cold Therapy and Commitment. Atmen, Kälte-Therapie und Engagement. Das Engagement beschreibt er auch mit dem Wort Fokus. Diese drei Säulen gilt es also zu üben. Spezielle Atemübungen, sich langsam an kaltes Wasser gewöhnen und sich innerlich mit Engagement ausrichten.

Weihnachten 2020, ich war reif für die Initiation zur Eiskönigin. Stück für Stück hatte ich mich rangearbeitet. Morgendliches kaltes Duschen, erst nur die Beine, dann kamen die Arme dazu und dann – brrr – der Oberkörper. Schon nach ein paar Tagen hatte ich mich einigermaßen daran gewöhnt. Ich war fasziniert, wie schnell wir Menschen uns auf Neues einstellen können. Der nächste Schritt war, die Zeitspanne unter der eiskalten Brause zu erhöhen. Nach drei Wochen war ich immerhin bei zwei Minuten. Das schrille Kreischen und hysterische Geschrei war konzentrierten Atemzügen gewichen. Die Atmung ist beim Eisbaden wie beim Yoga eine zentrale Säule. Unwillkürlich halten wir in kaltem Wasser die Luft an. Dies gilt es zu durchbrechen. Bewusst und ruhig zu atmen, sich in die Kälte hinein zu entspannen. Ja, das geht, es ist möglich, loszulassen, bewusst auf die reflexhafte Verkrampfung einzuwirken, obwohl deine gesamte Haut, dein gesamter Körper, dem Seewasser ausgesetzt wird, das nur wenige Grad über dem Gefrierpunkt liegt. Das ist, was Wim Hof Engagement nennt: die innere Ausrichtung, der Fokus, der uns Erfahrungen meistern lässt, die wir uns vorher vielleicht nicht zugetraut haben.

Wie gesagt, Weihnachten 2020, am zweiten Weihnachtsfeiertag, um genau zu sein, war es so weit. Mein Lebensgefährte begleitete mich. Auch er hatte sich vorbereitet, sich Schritt für Schritt der Kälte angenähert. Wir waren ein Team und das macht natürlich doppelt Spaß.

Es war ein klarer, eiskalter und sonniger Tag. Wir waren warm eingepackt. Keinesfalls wollten wir schon auf dem Hinweg zum See frieren. Das wäre zu viel des Guten, und gerade nach dem Eisbaden ist es gut, sich wieder warm einzupacken, um nicht auszukühlen. Das steinige Ufer war natürlich menschenleer. Im Sommer tummelten sich hier Sonnenbadende und Wasserratten, doch die saßen alle zu Hause vor dem warmen Ofen, um die Weihnachtsgans zu verdauen. Wir rollten zwei mitgebrachte Isomatten aus und begannen uns zu entkleiden. Der See lag blau und einladend direkt vor uns. Zumindest haben wir uns einladendes Wasser vorgestellt. Jetzt noch Atemübungen. In Bikini, Badehose und mit Mützen standen wir auf unseren Isomatten, tiefer breitbeiniger Stand, einatmen und ausatmen. Wir mussten lachen. Wollten wir wirklich so verrückt sein? Ja, wir wollten.

Also ab dafür. Wir begannen, ins Wasser zu gehen. Es war eisig und wir gingen weiter. Die Waden begannen zu schmerzen. Und wir gingen etwas schneller. Das Wasser wurde nur sehr langsam tiefer, wir hatten eine ungünstige Stelle gewählt. Ich war mir nicht sicher, ob meine Unterschenkel bis ins tiefere Wasser durchhalten würden. Atmen, schreien, das musste jetzt unbedingt sein, und der Wintersonne entgegenlächeln. Endlich tiefes Wasser. Schnell untertauchen. Fünf tiefe Atemzüge mit geschlossenen Augen. Das musste reichen fürs erste Mal. Genug, um Eiskönigin zu werden.

Zurück am Ufer war ich durchflutet von Stolz und Freude. Selten hatte ich meinen unbändigen Willen so klar spüren dürfen. Die Vorbereitung, die finale Überwindung und meine sehr klare persönliche Entscheidung, so etwas durchzuziehen, lösten eine großartige Power in mir aus. Schritt für Schritt, tief atmend, mit pumpendem Herzen dem eisigen See zu begegnen, kam bei all der Bewegung, dem geschwinden Rein und wieder Raus auch einem stillen „heiligen“ Moment nahe. Ich stand fast nackt in der ebenfalls nackten winterlichen Natur. Die Zeit stand für einen Moment still, es gab nur das Hier und Jetzt. Keine Gedanken, nichts, das mich ablenkte. Atmen, Wille, Hingabe – ein köstlicher Augenblick. Bis mein Lebensgefährte einen seiner Sprüche klopfte und wir gemeinsam in Lachen verfielen. Halleluja, was für ein Trip.

Wenn du magst, drehst du deinen Wasserhahn beim Duschen das nächste Mal von Rot auf Blau. 20 Sekunden für den Anfang. Atmen nicht vergessen. Enjoy!

MILCH & HONIG

Anfang der 90er-Jahre war ich mit meinem Freund und späterem Ehemann das erste Mal in den USA. Wir hatten uns einen coolen amerikanischen Campervan gemietet und machten einen aufregenden Roadtrip quer durchs Land. Es war herrlich, nur das Thema „Essen“ war äußerst problematisch. Restaurants gab es wie Sand am Meer. Essen, Essen, Essen, in rauen Mengen und an jeder Ecke. Doch mich konnte nichts zufriedenstellen. Letztlich bildete sich die Geschichte meiner Kindheit und Jugend am Essen ab. Schon als Kind war ich extrem „krüsch“ (Plattdeutsch für wählerisch beim Essen) gewesen. Ich wollte dies nicht und auch das nicht. Doch sobald ich mich wohlfühlte, war die Welt der Nahrungsaufnahme in Ordnung, als würde ein unsichtbarer Schalter umgelegt. Bei meiner Oma aß ich für zwei. Bei meiner Mutter hatte ich oft keinen Appetit. Das lag nicht nur an ihren klischeehaft schlechten englischen Kochkünsten, also an ihren nicht vorhandenen Kochkünsten – die Weihnachtspute stellte die rühmliche Ausnahme dar, es war ihre einzige Ehrenrettung. Ansonsten gab es Baked Beans on Toast oder Toast mit Baked Beans und dann wieder Baked Beans, selbstverständlich on Toast. Doch eher war mein Essverhalten Ausdruck meines seelischen Unwohlseins. So sehr ich meine Mutter immer geliebt habe, so wenig war sie da. Kaum war ich in Berlin, habe ich alles nachgeholt. Meine geliebte Oma war eine passionierte Köchin und hat immer gesagt: „Der Appetit kommt mit dem Essen, meene Kleene.“ Recht hatte sie, wie ein Scheunendrescher habe ich bei ihr reingeschaufelt.

Ähnlich erging es mir, wenn ich zu Besuch bei meiner besten Freundin war. Ich verbrachte viel Zeit bei ihr und liebte die warme und geborgene Atmosphäre ihrer persischen Familie. Ihre Mutter bekochte uns mit landestypischen Gerichten, und auch dort habe ich gefuttert, was das Zeug hielt. Doch die Prägung in meinem eigentlichen Zuhause war zu dominant. Ich hatte überhaupt kein Gefühl dafür entwickelt, was mir guttat, was mir schmeckte, was ich gerne aß und was nicht. Ich wusste nur, was ich nicht wollte, und die Liste war lang. Ich war schon in Deutschland schwierig mit Essen, aber in Amerika wurde ich zur Potenzierung der Quengelqueen, und selbst der Gleichmut meines Freundes wurde auf eine harte Probe gestellt. Regelmäßig hat ihn mein Verhalten innerlich schier auf die Palme gebracht. Er hätte überall essen können, aber ohne mich. Von amerikanischem Junkfood konnte ich nicht leben, mein empfindlicher Körper hat es auch nicht vertragen. So viel war mir immerhin klar. Pizza? Nein. Pommes? No. Burger? Geht gar nicht. Tatsächlich gab es damals schon Bio-Lebensmittel in Amerika, doch die Produkte waren exorbitant teuer und unser Budget schmal. Ich hätte Salat essen können, doch nach annähernd zwei Jahrzehnten Baked Beans tauchte dieser noch nicht als Alternative in mir auf. Ich kam einfach nicht auf die Idee, Salat zu wählen, so abstrus das auch klingen mag. Ich entschied mich irgendwann für Milch. Die war billig und auf der Packung wurden in großen Buchstaben die Inhaltsstoffe angepriesen: Kalzium, Vitamin D und alle möglichen B-Vitamine. So gab es also für mich packungweise Milch aus dem Supermarkt und beim Western Diner Hot Milk with Honey. Auch davon kann man leben. Paradiesisch war das nicht.

Mein Freund sollte zumindest eine Woche Erholung von mir haben. Denn es war diese Reise, auf der wir Esalen kennengelernt haben. Bevor dieses Juwel am Pazifik ein Jahr später so lebensverändernd auf mein seelisches Befinden einwirken sollte, tat es dies auf andere Art und Weise schon bei meinem ersten Besuch. Das Essen war ein Traum für mich. In der kurzen ersten Woche, die wir damals dort verbrachten, habe ich eine Ahnung davon bekommen, was mir eigentlich schmeckt und was mir guttut. Salate wurden zu einem selbstverständlichen Bestandteil meiner Ernährung. Wir haben in dieser einen Woche auch irgendeinen Workshop gemacht, doch ich erinnere mich nicht mehr, welcher es war. Für meinen Partner war die größte Wohltat ohnehin, dass ich beim Essen endlich Ruhe gab und ihm nicht ständig mit meinen nervenden Quengeleien in den Ohren hing. Endlich Stille. Welcher Workshop hätte besser sein können?

Wenn es um Ernährung ging, ging es für mich also vor allem darum herauszufinden, womit ich mich wohlfühle. Das ist auch schon die ganze Geschichte. Mit 19 stand ich häufig im Supermarkt und wusste nicht, was ich einkaufen sollte. Tatsächlich waren die vollen Gemüseregale ein Wirrwarr lauter durchaus leckerer Möglichkeiten, aber ich hatte überhaupt keine Ahnung, was ich daraus hätte machen können. Ich stand wie der sprichwörtliche Ochse vor dem Berg. Ernährung und vor allem die Zubereitung von Speisen waren Themen, vor denen ich als junge Frau faktisch kapitulierte. Einer der vielen Aspekte meines Lebens, die damals meinen Kohärenzsinn schwächten. Essenszubereitung war für mich kaum zu bewältigen.

Esalen war ein erster kleiner Anstoß, bis mir meine kleinen Söhne den nächsten gaben. Zu Beginn ist es mit Kindern einfach – Stillen, Flasche, Gläschen mit Brei. Aber unweigerlich kommen Zähne und die Kleinen wollen essen. Der Berg im Supermarkt wurde kurzzeitig noch unüberwindbarer. Doch dann obsiegte die Mutterliebe, die mir überdeutlich machte, dass meine Kinder gutes Essen brauchen. Das war der Anstoß, den ich brauchte. Ich erkundigte mich bei anderen Müttern, kaufte Kochbücher, kniete mich rein. Letztlich war es kein großes Zauberwerk.

Ein paar Jahre nach meinem „Durchbruch" stand eine junge Frau neben mir im Supermarkt und studierte etwas orientierungslos die Fertigsoßen für Salate. Sie wandte sich an mich mit der Frage, ob ich ihr sagen könne, wie man eine Salatsoße selbst macht. Kinder kriegen war die Antwort, die mir sofort auf der Zunge lag. Ich habe ihr dann Olivenöl und Balsamico als Grundlage empfohlen.

Über Ernährung gibt es Tausende Bücher, Berichte und Sendungen. Interessantes und Uninteressantes, Bereicherndes und Überflüssiges. Auf allen möglichen Plattformen existiert ein buntes Potpourri, unzählige Ernährungsformen, unzählige „Wahrheiten" über die eine gesunde Art und Weise zu essen. Was, wann, wie viel, gesund oder ungesund, von normalen Lebensmitteln bis hin zur Lichtnahrung. Für jeden ist etwas dabei, du musst dich nur entscheiden. Was also könnte ich zu diesem Thema noch Neues beitragen?

Klar habe ich Verschiedenstes ausprobiert, vegetarisch, vegan, Superfood, glutenfrei, Intervallfasten, keine Zwischenmahlzeiten, grüne Smoothies aus dem Hochleistungsmixer ... Bei all der Selbstoptimierung durch die richtigen Lebensmittel kann die Freude am Essen verloren gehen. Auch ich habe mich von dem ein oder anderen Trend mitreißen lassen, der ultimatives Wohlgefühl versprach. Habe mich in Ernährungskonzepte gepresst, die meinem eigentlichen Bauchgefühl widersprachen. Klar ist es gut, gesunde Lebensmittel zu verzehren, aber es sollte eben auch Spaß machen. Meine Halbschwester, passionierte Köchin und eine Meisterin in der Herstellung glutenfreier Köstlichkeiten, hat vor ein paar Monaten einen herrlichen, einfachen und in meinen Augen sehr weisen Satz dazu gesagt: „Weißt du was, mein Schwesterherz, eigentlich muss man doch irgendwann die Reife haben, egal, ob Mann oder Frau, mit einem guten Bauchgefühl die Dinge zu essen, die einen wirklich glücklich machen." Wo sie recht hat, hat sie recht.

Wie der Volksmund weiß, geht Liebe durch den Magen. Wohl wahr, wenn ich mich wohlfühlte, war es mit dem Essen immer viel unkomplizierter. „Der Appetit kommt mit dem Hunger, meene Kleene." Und vor allem in geborgener, warmer und wohliger Gesellschaft. Enjoy!

DANKSAGUNG

Das Dankesagen ist wohl das Wichtigste und das Schwierigste zugleich! Ich könnte alle nennen, die mich auf so unterschiedliche Weise begleitet haben auf dem Weg zu diesem Buch. Selbst Katzen haben meine Seele gestreichelt während der nicht immer fröhlichen und leichten Erzählungen aus meinem Leben. Doch mein besonderer Dank gilt Stefan Rieß und Ina Kleinod.

Lieber Stefan, unsere intensiven Tage und Wochen des Schreibens werde ich nie in meinem Leben vergessen. Die Geduld und Hingabe, mit der du diese Aufgabe angegangen bist, hat mich tief beeindruckt und zeigt mir klar, was für ein Experte du bist, die Wahrheit ans Licht zu bringen. Dein feines Gespür für Menschen und die Präzision, mit der du für den roten Faden gesorgt hast, waren eine Meisterarbeit. Ich kann dir gar nicht sagen, wie wichtig du warst für mein Buchprojekt. Tausend Dank aus vollem Herzen.

Liebe Ina, deine klaren Fragen zu Beginn waren ausschlaggebend für dieses Buchprojekt. Deine Geduld, deine Hingabe, deine unerschütterliche Zuversicht, wenn ich zwischendurch mit meiner eigenen Courage im Clinch lag, waren wichtige Säulen für mein Durchhalten. Nur durch dich wurde mein Buchprojekt professionell. Dafür danke ich dir from the bottom of my heart.

Klaus Altepost – mit deiner heiteren, verbindlichen, erreichbaren Art warst du eine große Ermutigung für mich. Du hast an mich geglaubt und mir immer wieder liebevoll versichert, dass ich mich nicht verstecken muss. Du warst ein Mentor für mich. Ich danke dir zutiefst.

Joachim Kamphausen – deine Offenheit, Begeisterung und Unterstützung waren mir eine große Ehre. Nie hätte ich mir so viel Menschlichkeit und Vertrauen erträumt. Du hast mir für dieses Projekt die Zeit gegeben, die ich brauchte, um wirklich zufrieden und glücklich damit zu sein. Dafür bin ich dir für immer dankbar.

Meine Jungs – ihr habt mir viel Zuspruch geschenkt und mir ohne Zögern zugetraut, diesen Schritt zu machen und mich offen mit meinem Handicap zu zeigen. Eure schriftlichen Beiträge haben mich tief in meinem Herzen berührt. Ich danke euch, ihr seid großartig!

Annette Höinghaus vom BVL. Danke dir! Jederzeit konnte ich dich anrufen, dir eine schnelle SMS schicken, wenn es faktische Fragen gab. Du hast so geschwind und verbindlich geantwortet, so schnell konnte ich gar nicht gucken. Ich freue mich sehr darüber, dich als Profi für Legasthenie an meiner Seite zu wissen.

Außerdem danke ich meiner restlichen Familie, dem ganzen „Kamphausen Media"-Team, der BVL, Freund:innen und Arbeitskolleg:innen.

Danke euch allen!

SAMMELSURIUM

I Wonder:
https://www.youtube.com/watch?v=uDo7u4QMs88
A mind of her own:
https://www.youtube.com/watch?v=C_9-VrrPkYc
Zu dumm für die Schule?:
https://www.youtube.com/watch?v=Pg6JYYxEn5s
Studieren mit Legasthenie:
https://www.youtube.com/watch?v=viliQHxr3o4
Legasthenie – Wenn Wörter deine Feinde sind:
https://www.youtube.com/watch?v=5oUhBj9KoM8
See dyslexia differently:
https://www.youtube.com/watch?v=11r7CFlK2sc
The True Gifts of a Dyslexic Mind | Dean Bragonier | TEDxMarthasVineyard
https://www.youtube.com/watch?v=_dPyzFFcG7A&t=39s
Dyslexia: A differently wired brain:
https://www.youtube.com/watch?v=iI5MptWKD7E
Why dyslexia is not an disadvantage:
https://www.youtube.com/watch?v=_nWYz-67P9A
Chatterjee: Der Anti-Stress-Plan – In 4 Schritten zu mehr Gelassenheit und Gesundheit. (Goldmann 2020)
Europaen Yoga Festival:
https://www.3ho-europe.org/european-yoga-festival.html
Akupressurmatte: *https://shaktimat.de/*
Wim-Hof-Methode: *https://www.wimhofmethod.com/*
Fiona Coors: *https://agentur-einfachanders.de*
Lady Tea – Video Nr. 5:
https://video.filmmakers.de/fiona-coors
Alanis Morissette – Big Sur:
https://www.youtube.com/watch?v=xyNUeVkzKYU
Made by Dyslexia: *https://www.madebydyslexia.org/*
(Interviews mit bekannten Persönlichkeiten)

DIAGNOSTISCHES

Was ist eine Legasthenie?

Einige Menschen tun sich besonders schwer, das Lesen und Rechtschreiben zu lernen, obwohl sie gut begabt sind. Trotz regelmäßigen Schulbesuches und intensiven Lerneinsatzes erreichen sie oftmals nicht die Leistungen wie andere Menschen in ihrem Alter. Da die Probleme nicht durch äußere Umstände wie z. B. mangelhafte Beschulung, soziales Umfeld oder Erkrankung entstanden sind, spricht man auch von langandauernden Beeinträchtigungen. Circa vier bis sieben Prozent aller Menschen sind von einer Lese-/Rechtschreibstörung betroffen. Um die Ursache für die massiven Beeinträchtigungen im Lesen oder Rechtschreiben herauszufinden, ist eine umfassende medizinische Diagnostik erforderlich.

Welche Anzeichen können im Kindesalter auf eine Legasthenie hinweisen?

Manche Kinder haben massive Probleme mit dem Lesen. Der Lesefluss ist sehr stockend und verlangsamt. Oftmals gelingt es ihnen nicht, sinnentnehmend zu lesen. Beim Rechtschreiben fällt es Kindern schwer, Wörter richtig abzuspeichern, und sie schreiben so Wörter immer wieder unterschiedlich falsch und machen viel mehr Rechtschreibfehler als andere Kinder. Circa 40 Prozent aller Kinder mit einer Legasthenie entwickeln psychosomatische Folgeerkrankungen, die man verhindern könnte, wenn man sie gezielt unterstützt und ihre Stärken erkennt, die ebenso gefördert werden sollten.

Welche Beeinträchtigungen können noch im Erwachsenenalter bestehen?

Die noch immer häufig vertretene Meinung, dass sich die Legasthenie „auswachse“ und dass sich die Schwierigkeiten mit Einsetzen der Pubertät deutlich verringern, kann durch Längsschnittstudien nicht belegt werden. Die Schwierigkeiten im Lesen und/

oder Rechtschreiben sind entwicklungsstabil, wenn keine entsprechenden Interventionsmaßnahmen stattgefunden haben. Eine Verlangsamung der Lesegeschwindigkeit und/oder kein sinnentnehmendes Lesen sowie eine mangelhafte Rechtschreibung können auch noch im Erwachsenalter ein Problem sein.

Warum sprechen Menschen mit einer Legasthenie nicht offen über ihre Probleme?

Viele Menschen haben die Erfahrung gemacht, wegen ihrer Schwächen im Lesen und Rechtschreiben für dumm oder faul gehalten zu werden. Die Sorge, dass ein Arbeitgeber denken könnte, man sei für den Beruf durch die Legasthenie nicht qualifiziert genug, macht Angst, evtl. deshalb nicht eingestellt zu werden. Es wird aber auch berichtet, dass Betroffene schon häufiger mit einer ablehnenden Haltung wegen ihrer Legasthenie konfrontiert waren und daher versuchen, ihr Problem zu verbergen.

Kann man mit einer Legasthenie jeden Beruf ergreifen?

Menschen mit einer Legasthenie finden sich in allen Berufen, d. h., es gibt auch Autoren, Journalisten oder Rechtsanwälte mit einer Legasthenie, also Berufe, in denen viel gelesen und verschriftlicht werden muss. Dank der heutigen Nutzung von technischen Hilfsmitteln gibt es viele Kompensationsmöglichkeiten, die die individuellen Beeinträchtigungen gut ausgleichen.

Der Bundesverband Legasthenie und Dyskalkulie e.V. (BVL) kümmert sich als Selbsthilfeverband um die Belange von Menschen mit einer Legasthenie und/oder Dyskalkulie. Auf der Homepage des BVL finden Sie viele wichtige Informationen zur Legasthenie sowie interessante Ratgeber:
https://www.bvl-legasthenie.de/
https://www.bvl-legasthenie.de/shop-bvl/shop-ratgeber.html.
Gerne unterstützt Sie der BVL auch durch eine individuelle Beratung per Telefon oder E-Mail.

Kontakt

Bundesverband Legasthenie und Dyskalkulie e. V.
Postfach 201338
53143 Bonn
Tel. 0228 / 38 75 50 54
beratung@bvl-legasthenie.de
https://www.bvl-legasthenie.de

Danksagung

Der Bundesverband Legasthenie und Dyskalkulie e.V. bedankt sich bei Fiona Coors, dass sie anderen Menschen Mut macht, offen mit ihrer Legasthenie umzugehen. Nur so kann es gelingen, möglichst viele Menschen für das Thema zu sensibilisieren und mehr Akzeptanz und Toleranz in unserer Gesellschaft zu erreichen. Die Stärken von Menschen mit einer Legasthenie müssen erkannt und gefördert werden, damit sie eine Chancengleichheit in unserem Bildungssystem und in ihrer beruflichen und persönlichen Entwicklung erhalten.

Vielen Dank für dieses ganz besondere Buch.